À la mémoire de Veronica

谨以此书纪念韦罗妮卡

智慧的作用，

在于为人们带来绵绵不绝的快乐。

——塞内卡（Sénèque），《致卢齐利乌斯的信》（*Lettres à Lucilius*），59

MONTAIGNE

与哲学家谈快乐

Frédéric Lenoir

La puissance de la joie

[法] 弗雷德里克·勒努瓦 著　李学梅 译

生活·讀書·新知 三联书店 生活書店出版有限公司

目录

○ 前言

世界上还有什么比快乐更令人向往吗?

每个人都在执着地追寻快乐，即便曾经拥有，哪怕转瞬即逝。对情侣而言，快乐是爱人的陪伴；对球员来说，快乐是胜利的瞬间；在艺术家看来，快乐是创作的成果；在科研人员心中，快乐是发现的一刻。这种感觉比快感更深厚，比幸福更具体，它让人们欲罢不能，它以千面之姿，成为人们的至高追求。

快乐拥有一种力量，足以冲击我们的心灵，占据我们的大脑，让我们体会极度的充实。快乐是对人生的肯定，它所展现的勃勃生机，让我们得以触碰并感知生命的力量。没有什么比快乐更让我们充满活力。但我们是否具备了获取、滋养和维持快乐的能力？我们又能否形成一种建立在快乐力量之上的智慧？

为了对上述问题展开研究，我充分汲取了东西方智慧的结晶。事实上，快乐在中国道家思想中居于核心地位，同时在福音书中也有充分体现。但与之形成鲜明对比的是，哲学家们却对快乐兴味索然。或许在他们看来，快乐具有不可预知、情绪化，甚至易走极端的特性，不利于与其保持距离、进行深入思考。尽管如此，依然有为数不少的思想家把快乐作为研究的重点，比如斯宾诺莎、尼采和柏格森等。与巨人们同行，我们得以从分辨快感、幸福和快乐之间的区别以及如何运用哲学思维剖析快乐两方面起步，踏上寻求真知的漫漫长路。但是如何摆脱已有经验，继续我们的探究之旅？我将以个人的经历、感受和信念，为下一步研究提供支撑。

在本书中，我试图以具体的方式向读者展现三种通往快乐的途径。首先是采取正确的生活态度获取快乐，比如专注、参与、自信、豁达、随性、善心、感恩、坚持等，同时也要懂得适时放手以及保持健康的体魄。另外两种途径旨在让快乐更加持久：一种是冲破束缚，通过获得内心的自由重新找回自己；另一种则截然相反，即重拾爱心、重建联系，与世界和他人达成充分、真正的和解。这是一条自我实现、与世界相融的道路，当我们走到路的尽头就会发现，所谓完美的快乐不过是生命本身的一种深刻、积极和有意识的表达，它与生俱来，却在我们遭遇的各种困难中消磨殆尽——这就是生的快乐。

这本书源于我的教学讲义，由最初口头授课的内容整理而成。我希望它通俗易懂，能够被更多的读者接受。为此，我重新对讲义进行了精心编纂，但保留了原文鲜活直白的口语风格。在此，我要特别感谢吉南·卡勒·塔杰尔（Djénane kareh Tager）和我的出版商索菲·德·克洛塞（Sophie de Closets），感谢她们在这一过程中给予我的珍贵帮助。

快感、幸福和快乐

自然会通过明确的信号告诉我们：
我们的目标已经达到，这个信号就是快乐。[1]
——柏格森（Bergson）

1 柏格森，《精神能量》（*L'Énergie spirituelle*），Petite b.Payot出版社，第52页。

所谓满足，最普通和最直接的感受就是快感。当我们的日常需求或愿望得到满足，就能体会到快感。当一个人口渴，喝水会感到愉悦；饿了吃饭，会觉得快乐，如是美味佳肴，幸福感会更甚；当一个人身体疲惫，休息会使其愉快；早间品味咖啡或香茗，亦不失为一段惬意时光。这些感官上的快感最为普遍。除此之外，还有一些更为内在的快感，属于心灵和精神范畴，比如与朋友聚会，欣赏美景，沉浸在一本赏心悦目的好书之中，倾听一曲悦耳动听的音乐，完成一项有趣的工作，这些都会令人感到愉快，或者说得到一种满足。总之，我们的生活离不开快感，否则生命将成为一场无休止的苦役。

然而，快感也有其固有的缺陷，即无法持久，这一点从古至今一直是哲学家们反复讨论的话题。酒足饭饱不过几个小时，又会感到饥饿口渴；曲终人散，读罢掩卷，快感也会随之消散。这表明，快感只有在持续不断地受到外部刺激的情况下才能维持。此外，快感也会经常受到干扰：我们都有过愿望和需要无法得到满足的经历，有时，一件微不足道的小事就让快感消失殆尽，比如一杯温吞水、一份味同嚼蜡的食物、一个令人厌恶的朋友或是一幅遭到破坏的美景。事实上，如果我们只注重寻求快感的过程，那么快感将很难持久。

第二个缺陷，我们每个人也都有切身体会，就是快感在短时间内令人愉悦，然而从长远看却于人有害。比如过腻或过甜的食物当然美味，但如果摄入过量，必然对健康不利；美丽的少女、英俊的少年固然能让我们体会性的快感，却会将夫妻关系置于危险境地；节日期间在朋友家中聚餐畅饮，结果就是第二天头痛舌燥。从中长期结果看，或是以生活方式的眼光整体审视，贪欢一晌有时反而得不偿失。

快感的两大缺憾让东西方的哲人们对一个问题产生了兴趣，[1]即快感如此短暂且充满矛盾，那么是否存在一种持久的满足，不受时间限制，也不取决于外部环境，亦不会最终成为食之无味的鸡肋，也就是说是否存在一种更加广义而持久的快感呢？为了描述这种状态，人们创造出一个概念：幸福感。于是，大约从公元前1世纪中期开始，印度、中国乃至地中海沿岸的先贤和思想家们开始对这个哲学问题进行探究，并得出不同的答案，试图以此来克服快感的缺陷和局限。

哲学家们的讨论虽然五花八门，但大多数答案在三个关键点上趋向一致：首先，没有快感就没有幸福，只有学会分辨和节制快感，才能获得幸福。伊壁鸠鲁告诉我们："没有一种快感是罪恶的，但一些产生快感的缘

---

1 我在上一部作品《幸福，一次哲学之旅》（*Du bonheur, un voyage philosophique*，Fayard出版社，2013年，Le Livre de Poche出版社，2015年）中对这个问题有更深入的阐述，有兴趣的读者可以参考。

由却会给人带来困扰，其困扰程度甚至远远超过快感本身。”[1]我们也许会认为伊壁鸠鲁是一个鼓吹享乐主义的哲学家，事实上，他却是一位深谙节制之道的大哲学家。他不反对追求快感，也不鼓吹禁欲苦行，但认为纵欲过度会让快感荡然无存。如果我们懂得控制数量、重视质量，就能更好地从事物中享受乐趣。比如在一个高朋满座、美酒佳肴的宴会上，我们既无暇品尝美味，也不能与宾客交流，与之相比，三四位好友共享一顿简单而精致的午餐显然会更加幸福。从这个角度来讲，伊壁鸠鲁可谓“less is more”潮流的先驱。这种潮流在当今物欲横流、追求享乐的社会里日渐风行，我们既可以将其译为“少即多”，也可用农民哲学家皮埃尔·拉比（Pierre Rabhi）的至理名言“幸福的节制”加以解释。一直以来，拉比都是“节制的力量”的积极倡导者。

伊壁鸠鲁还说过：“当我们将快乐视为生活的目标，

1 伊壁鸠鲁（Épicure），《准则学》（*Maximes capitales*），第八卷。

我们所说的就不再是一味追求感官刺激或是穷奢极欲的快乐。日复一日吃喝度日，红男绿女纵情声色，流连盛宴尽享美味，这些都无法带来幸福的生活，只有理性审慎地思考，我们才能做出正确的取舍，摒弃那些会对灵魂造成最大困扰的无益选择。而做到这一切的前提和最好方式就是‘谨慎’。”[1]“谨慎”一词在希腊语中为*phronesis*，但如今它的含义已与古代有所不同。对古代的哲学家们而言，谨慎是一种智慧的美德，能够帮助我们准确地分辨、判断和做出选择。早于伊壁鸠鲁数十年的亚里士多德也持有相同观点，他认为这一智力上的优点对分辨事物十分重要，能够让我们知道什么是好、什么是坏。在他看来，我们之所以能够成为一个道德高尚的人并过上幸福的生活，主要归功于这种理性判断的磨炼。亚里士多德将德行视为通往幸福的必经之路，他在著作《尼各马可伦理学》中对其做出的定义是：两个极端之间

1 伊壁鸠鲁，《致梅内苏斯的信》(*Lettre à Ménécée*)，131–132。

的平衡，能够通过快乐和善行带来幸福。“我认为适度就是无过度无不及……所有意识到这一点的人，都能避免过度和不及两个极端，力争找到合适的平衡点并以此作为行为准则，这个平衡点并非建立在与客体比较的基础上，而是相对于我们自身而言。”[1]比如说，勇气是恐惧与鲁莽的最佳平衡点，如果我们好走极端，就会因此身陷窘境；同样，无论禁欲（放弃追求快乐）还是纵欲，都与幸福背道而驰。作为介乎两者之间的中间道路，节制也被亚里士多德视为弥足珍贵的优点。

将亚里士多德时代再往前推两个世纪，印度的佛陀（佛祖释迦牟尼）也是在经历了极端情况后，才悟出了四大皆空的道理。佛陀本名悉达多，曾是一位过着纸醉金迷生活的王子，但他并未因此感到幸福。随后他放弃王位、家庭和财富，来到印度北部的森林里与一群苦行者

---

1 亚里士多德（Aristote），《尼各马可伦理学》（*Éthique à Nicomaque*），第二卷第6章，5–8。

一同修习。十年过去了，他发觉自己并没有比以前更加幸福。这两段经历促使他最终走向“中庸”，即节制与平衡，而这正是幸福的源泉。中国传统文化亦把中庸称为“和谐”，这是一种平衡状态，能够确保自然界能量的顺畅循环。此外，中国人也试图把“和谐”的理念应用在人的生产活动中，达到天人合一的境界。

可以说，没有快乐，幸福也无从谈起，但这种快乐必须是适度且有所选择的，否则快乐就会转瞬即逝，并且始终为外力所控。由此，我们产生了一个新的问题：如何获得持久的幸福？或者说，当一个人遭遇失去工作、伴侣离去、身患疾病等种种不如意时，该怎样保持幸福的状态？古代的哲学家告诉我们：应该让幸福摆脱对外部因素的依赖，找到新的动力，即从自身寻求幸福。这种幸福的更高境界，我们称为智慧，其实质就是与生活达成和解，热爱生活的本来面貌，而不是出于一已私欲或其他原因，不惜代价地改造整个世界。圣·奥古斯丁的箴言道出了其中真谛：“幸福，就是继续追寻已经拥有的东西。”这一观点与斯多葛派的学说遥相呼应，后者一直主张人们分清什么东西在自己的掌控之内，什么东西不在个人的掌控范围。能够掌控的就要试着去改变：比如酗酒成瘾或沉迷游戏，就要戒除恶习；一些交际活动于己有害，就要适当控制。但是面对我们无法控制的情况，又该如何应对呢？斯多葛派认为：所谓的智慧，就是接受无力改变的事实。他们通过小车拖狗的例子来阐释这一观点。如果狗使劲挣扎，不愿跟着车走，就会被车强行拖拽，直至筋疲力尽、伤痕累累地到达终点。如果狗不再挣扎，顺从地跟着车走，那么同样走一段路，它受的罪就要少许多。因此，面对不可抗力，与其拒绝接受、与命运对抗，不如接受现实、顺应生活的安排。当然，做到这一点不会像挥舞一下魔法棒那样立竿见影，即便对斯多葛派来说，这都是一个难以企及的目标，对芸芸众生而言，更是难如登天。

古人用*autarkeia*一词来定义智慧的理想状态，意思就是自足，通过获得内心的自由，不再将自身的幸与不幸建立在外部环境上。这种自由的状态让我们学会欣然接受一切生命中突如其来的状况，无论是快乐还是悲伤，并且让我们意识到：在多数情况下，愉快与忧愁一样，不过是内心的真实感受。智慧能够包容一切，它追求的幸福正是一种尽可能全面和持久的状态，而非短暂的欢愉。拥有了智慧，就找到了幸福真正的源泉。下面这个摘自苏菲派教义的故事就是例证。

一位老人坐在一座城市的城门口。远道而来的异乡人上前打听：“我还不太了解这座城市，这里的人们品行如何？”老人反问道：“你所来之地的居民品行如何？”异乡人回答：“自私又恶毒，正因如此我才选择离开。”“你会发现这里也是一样。”老人说道。过了一会儿，又有一个异乡人上前询问老人：“我来自一个遥远的地方，可否告诉我，这里的居民品行如何？”老人反问：“你所来之地的居民品行如何？”“善良又热情，我结交了许多朋友，我都舍不得离开他们。”听到这个回答，老人微笑着对他说：“你会发现这里也是一样。”一位骆驼商贩在远处看到了这一幕，他走过来问道：“同样是陌生人，为什么你给出截然不同的答案？”老人答道：“对每个人来说，此心即宇宙，我们看到的并非是真实的世界，而是我们感知到的世界。一处安乐则处处安乐，一处不幸则处处不幸。”

这样的幸福观与当今西方社会的主流价值观可谓格格不入。人们无休止地炫耀虚假、自恋的幸福，而这种幸福不过是表面现象，并以成功与否作为评判标准。商家通过长时间的广告轰炸向人们兜售幸福，而事实上仅仅是为了短暂满足我们最自私的需求。我们常说“幸福的瞬间”，但在哲人和智者看来，真正的幸福不会转瞬即逝，而是一种持久的状态，是辛勤工作、意志坚定、奋发图强才能获得的结果。实际上，我们混淆了快感与幸福的概念，我们总是在花样翻新地找乐子，浑然忘记了追寻内心深处持久的幸福。

除了快感和幸福，还存在着第三种状态，即快乐。

虽然我们很少提及，但它却能给我们的生活带来极大的满足。快乐是一种情绪，或一种感觉，精神病学专家弗朗索瓦·勒洛尔（François Lelord）和克里斯托夫·安德烈（Christophe André）在《我们与生俱来的七情》一书里将之描述为“在有限的时间里，对一件事情产生强烈的身心感受”[1]，其特别之处在于强度大，而且能够触及人的全部感官，如身体、精神、心灵、想象力等。可以说，快乐是快感的加强版，更强烈、更全面、更深厚。在大多数的时间里，它就像快感一样，是对外界刺激的一种反应。我们常说“喜从天降”，比如通过考试，我们乐不可支；在竞赛中获得优胜，我们大喜过望；找到破解复杂问题的方法，我们充满喜悦；与好友久别重逢，我们被快乐冲昏头脑。相比而言，快感的表现形式通常比较含蓄、迟缓。比如说满意地微笑，自在地呼吸，像饱食

1 弗朗索瓦·勒洛尔、克里斯托夫·安德烈，《我们与生俱来的七情》（*La Force des émotions*），Odile Jacob poches出版社，中文简体版由生活书店出版有限公司2015年出版。

的猫咪那样在温暖的壁炉旁伸个懒腰，等等。快乐则更有爆发力，剧烈且充满激情，它让我们为之战栗，心荡神驰，身不由己，或展臂向天，或纵情歌舞，或欢欣雀跃。以我自己为例，作为一名足球爱好者，我既是球员，也是球迷。当我支持的球队在终场前几分钟攻入制胜一球，我再也无法坐住，而是兴奋得跳了起来！虽然不过是赢了一场足球比赛，但我需要通过身体的动作宣泄这种汹涌的激情。我怎能忘记1998年世界杯决战之夜法国队加冕的一刻？当时整个国家都陷入了欢乐的海洋！我至今记得人们直接把车停在马路中间，然后纷纷走下车来，不过不像以往那样寻衅找茬，而是兴奋地拥抱、亲吻。这也是快乐的一个特别之处，即具有感染力。它不是个人的“小确幸”，一旦我们沉浸在快乐之中，我们就需要与他人分享，将这种心情传递给他人，即便这个人素不相识！

但是，就如同快感一样，快乐通常是短暂的（后面我们会讲到凡事皆有例外）。即使我们心中充满快乐，也会预感到好景不长。“愿快乐常驻”是人们的普遍愿望，巴赫最动听的康塔塔之一亦从其中汲取灵感，可以说这绝非巧合。此外，作为一种美好的情感，快乐还有助于增强生命力，让我们活力四射。一旦快乐不再，难免产生严重的精神压力，比如有人因无法承受至爱之人逝去的事实，就会变得郁郁寡欢，了无生趣。

快乐的感受如此丰富，我们能否分析、理解并解释清楚这种情感呢？或者更进一步说，培养这种情感呢？虽然鲜有哲学家对这一美好而纯粹的感情产生兴趣，但我们依然可以从为数不多的几位研究者那里探寻答案。无论是最普遍的表现形式还是最高级别的追求，快乐都是全人类共通的情感。

研究快乐的哲学家

我们应当传播快乐，

尽一切可能去除悲伤。[1]

——蒙田（Montaigne）

1 蒙田，《随想录》(*Essais*)，第三卷，9。

古代的哲学家们曾多次探讨快感与幸福的问题，但对快乐却鲜有涉猎。这或许是因为快乐具有非理性的特点，而且不受任何因素控制。快感可以事先计划，无论是看一部喜欢的剧作，还是与朋友在一家上好的餐厅聚会，或是为自己安排一次按摩，我们都能预想到这会带来快感。幸福也可以日积月累，它源自不懈的奋斗、生命的意义以及美好的承诺。与之相比，快乐既没有理由，也无法预知。我们最常见的就是跟着感觉走的快乐。比如欣赏音乐时，天知道自己会不会乐不可支、手舞足蹈；再比如热爱的球队赢得重要比赛，我自会喜上眉梢，但谁也不能保证球队一定会赢，就算结果如愿以偿，过程也未必酣畅淋漓、令人大呼过瘾。虽然很多哲学家都承认快乐具有积极的一面，但其不可捉摸、超乎常理的特性，却也让他们望而却步。从古希腊时期开始，柏拉图、亚里士多德、伊壁鸠鲁都是如此，他们并不否认快乐的意义，但却将更多的精力投入到对幸福的研究之中。

在印度亦是如此。《奥义书》的著者以及之后的佛陀都没有把快乐作为思考的核心，他们更加关注的是通过摆脱愚昧和历练觉悟获得最终幸福。在中国，道家的创始人老子和庄子对快乐多有论述，这一点我将在后面的章节里详细介绍。此外，《圣经》也曾提到快乐，尤其是在福音书中，但令人诧异的是，耶稣极少提到世俗幸福，关于这一点我也会在后面做出解释。

现在让我们把目光投向西方哲学史。从中世纪上半叶起将近一千年时间里，哲学一直受到基督教神学的压制，换言之，哲学从未作为一种独立的思想发扬光大。直到文艺复兴时期，理性思维才从宗教信仰的桎梏中摆脱出来，重新绽放光芒。

作为16世纪法国主要思想家之一，米歇尔 · 德 · 蒙田或许是第一位研究幸福生活的近代哲学家。在他看来，幸福由简单的快感构成：如恋爱、饮食、散步、跳舞、学习等，这种幸福可知可感，而且能够尽情享受。蒙田一直追求灵魂的宁静，极力避免人际交往的冲突和生活中无谓的纷争，但他也特别强调，只有经受生活的磨砺，快乐才能与日俱增。毫不夸张地说，蒙田是将快乐作为过得好、生活幸福的衡量标准，正如他所言："我们应当传播快乐，尽一切可能去除悲伤。"为此他效法先贤，劝导人们了解自己的本性，通过增强判断力分辨好坏，认清快乐从何而来，悲伤因何而起。一个世纪之后，一位研究快乐的哲学大师横空出世，其思想内核与蒙田的直觉不谋而合，此人便是斯宾诺莎。

巴鲁赫·斯宾诺莎

Baruch Spinoza

斯宾诺莎1632年出生在阿姆斯特丹一个葡萄牙裔的犹太家庭。此前，他的家人为躲避天主教会迫害而移民荷兰。在新教相对自由宽容的环境下，斯宾诺莎家族的生意日渐兴隆。巴鲁赫天资聪颖，小小年纪就对哲学、神学怀有浓厚的兴趣，不但精通拉丁语，还博览古希腊著作。时光流逝，他因跻身思想极为超前的自由知识分子阶层，逐渐形成了批驳宗教的立场，他的首个批驳对象就是自己的宗教——犹太教。他率先通过理性分析对《圣经》教义给予反驳，比如他认为，诺亚时代的洪水巨灾和摩西分开红海、带领以色列人走出埃及等绝大多数《圣经》故事都是神话而非史实。在那个时代，巴鲁赫的言论可谓惊世骇俗，他也因此遭到家族所属的传统犹太阶层的残酷打压。24岁那年，人们以一种极其决绝的方式将其革出教门：他被判处“咒逐”之刑，也就是因异端思想被驱逐出教，永远不得回到犹太人居住区。在族人的诅咒声中，他离开自己的出生地，从此与自由基督教徒生活在一起。但他拒绝皈依基督教或其他教派，坚信哲学家在探寻真理的过程中必须保持自由之身。就这样，他过着孤独而清苦的日子，没有结婚，也没有子女，平日以打磨镜片为生。作为一名伟大的哲学家，他的成就最终得到整个欧洲的认可；作为一个磨镜片的手艺人，他同样是一位卓越的大师！终其一生，他都在打磨中度过，他磨出的镜片让人目明，他琢磨的思想令全人类受益。每每思及于此，我都会感动莫名。虽然他的著作寥寥无几，但每一部都力重千钧。比如他的《神学政治论》，就是一部具有先驱意义的不朽之作。在书中，他对宗教和政治进行了批判，同时也向人们描述出一个自己眼中的理想之国：在这个世俗的共和国中，所有公民都充分享有信仰和言论自由，在社会契约的规范下各行其是。这一构想与文艺复兴后的启蒙思想不谋而合，但比后者提前了整整一个世纪。

斯宾诺莎历时15年完成了最著名的杰作《伦理学》，不过他似乎不愿为出版此书冒上生命危险，所以直到去世，这部著作才得以出版。他死于肺部感染，或许是在打磨镜片时吸入了过多的碎屑和灰尘，因此在45岁便英年早逝。亚里士多德曾将这个年龄形容为开始哲学家生涯的最好年华，但斯宾诺莎已经完成了一部伟大的著作。由于他的观点总是触怒他人，导致其人身安全都受到威胁（他曾遭人刺杀，所幸凶徒并未得逞），所以他在《伦理学》中采取了几何学论证的写作方式，将附注、定义、命题混杂在一起，并在文中使用“假词”，通过扭曲词语本义，达到自我保护的目的。比如说，他主动提到上帝，但此上帝绝非一神论中具象的神祇，而是用来指代自然这一概念。用德国哲学家列奥·施特劳斯（Leo Strauss）的话说，斯宾诺莎使用了一种“施虐的语言”，正因如此，阅读《伦理学》的过程并不愉快，首次接触时甚至会感到可怕。

我迷上斯宾诺莎的时间并不算早，不过在克服了最初的障碍后［这还要部分归功于罗伯特·米斯拉伊（Robert Misrahi）和吉勒·德勒兹（Gilles Deleuze）的精彩注释］，我就像上钩的鱼儿一样欲罢不能，在足足六个月的时间里抱着《伦理学》不肯撒手，我不断受到启发，并为此感到欣喜若狂。

斯宾诺莎的伦理学实际上是一种快乐哲学。他的研究对象涵盖行为方式、道德伦理等一切影响我们为人处世的因素，而研究的出发点和落脚点都是快乐，或者说真实的快乐。这与17世纪的思想家以及在他们之后的康德的传统伦理学观点截然相反，后者强调义务，斯宾诺莎则拒绝将伦理作为形而上的概念、用简单的好坏善恶加以衡量。的确，为了形成自己的伦理学，他将一切宗教和形而上的价值观抛诸脑后，仅仅以一个观察者的身份审视人性。

那么他得出了怎样的结论？他认为“万物能力或有大小，但都在努力保持自身的存在”[1]。这种努力（拉丁语称为*conatus*）作为生命的普遍规律，在两个世纪后的生物科学研究中得到了验证。此外，所有生物不仅善于自我保护，也在不断生长，试图变得更加强大。在这一自然过程中，生物会与周围环境发生互动，不是影响他物就是受到他物影响。斯宾诺莎注意到，当人们遇到困难，行动能力就会减弱，成长也会受阻，这时往往陷入悲伤。

1 斯宾诺莎，《伦理学》（*Éthique*），第三卷，命题6。

相反，如果人们遇到的是一些积极因素，就会加速成长，能力渐强，自然时时感到心情愉悦。因此斯宾诺莎将快乐定义为“一个由小及大获得圆满的过程”[1]，意思就是说每当我们成长、进步、胜出，在本性的基础上有所突破，我们就会感到快乐。

我完全赞成这个结论，因为它适用于各种类型的快乐，首先对婴幼儿来说就是如此。不知你是否注意过幼儿迈出人生第一步的样子？当他突然发觉自己能够独自站立、独自行走，一定会高兴得手舞足蹈。除此之外，无论是牙牙学语被父母听懂，还是成长过程中的点滴进步，都会让他感到快乐。长大成人后，每一次成功的进阶，例如通过考试、获得梦寐以求的职位或是大病初愈、看到生命战胜死亡，同样令人欣喜若狂。一个人心智日趋成熟，是何等的幸福。可以说，所有促使我们成长、增强我们能力、帮助我们“提升”的事情都能带来快乐。

当然，不同的快乐在深度、强度尤其在真实程度上会有所区别。斯宾诺莎将快乐分为消极和积极两种。消

---

1 斯宾诺莎，《伦理学》，第二卷，附录，定义2。

极快乐是一种情绪上的冲动，我们自己仅仅是构成快乐的部分原因。这种快乐通常来自想象，无法从中获取力量。与之相反，我们自己是积极快乐的主导因素，正因如此，后者才能真实、深厚和持久。斯宾诺莎以爱情为例做出如下解释：他将爱情形容为“受外在因素影响而产生的快乐”，认为如果人们被“不相符”的表象所惑，将爱情建立在错觉或对彼此不了解的基础上，那么这就是一种消极的快乐（或者说是冲动）。现实中，当我们将一个人理想化或在其身上投射下童年的想象，那么这段关系非但不会带来期待中的快乐，反而会让我们深陷痛苦；它也无益于我们的成长，反而会让人退步，甚至遍体鳞伤。反之，如果我们将爱情建筑在“合理”的想象空间内，采取务实的态度，加深对彼此的了解，就能在这段关系中变得更加成熟，成就更好的自己，并借此增强生存能力，使之成为快乐的源泉。

不过，消极快乐带来的也不全是负面效果。说到这儿，我不由得想起一种因认同感产生的快乐，虽然来自人的想象，但同样具有积极的意义。比如在体育比赛时，我们俨然与国家融为一体，成为法国队或是巴西队的“化身”。虽然这种快乐未必是最高贵的情感，持续时间也不会很长，但它却是如此强烈。当分享快乐与集体认同相互叠加，人们的情感就会被充分激发，从而产生“同呼吸、共命运”的强大共鸣。从这个意义上说，斯宾诺莎的担忧也不无道理：极度的快乐既有可能化作悲痛（比如我们的球队输了），也有可能受人利用，毕竟它只是想象和投射机制的产物，我们永远都不会忘记在民粹领袖煽动下群情激奋的恐怖场面。

斯宾诺莎认为，在快乐的范畴里，最高等级当属“极乐”境界，我们也可称之为真正的幸福或永恒的快乐。一旦达到这一境界，我们就能摆脱情绪的奴役，获得超然物外的快乐。对此印度的先贤们亦有论述。在通往“极乐”的道路上，理智、直觉以及对欲望的引导不可或缺，当我们做到不以物喜、不以己悲，用今天的话说即进入无意识状态时，我们就能将快乐牢牢掌握在手中，任何外力也无法将其夺走。

斯宾诺莎由此开创了一门关于伦理的学说，它教会人们分辨什么对个体有利，什么又对个体有害，并且需要个人视情况做出判断。正所谓“吾之蜜糖，彼之砒霜”，让我感到快乐的，可能给你带来痛苦；与我相谈甚欢的人，可能与你格格不入，反过来也是同样的道理。

因此，做出这样的判断远比想象中的困难，它需要在理性分析上下足功夫，这样才能将欲望转化为最具活力的快乐，也就是最真切、最深厚以及最持久的快乐。在第四章“做自己”中，我还会对此进行更加深入的分析。

可以说，斯宾诺莎将快乐视为一切德行的基石与终极目标，他的思考并非建立在宗教信仰或纯粹抽象的推理上，而是经过深入的观察和分析才得出结论。因此，他不仅是第一位研究快乐的哲学大家，也是真正赋予快乐哲学定义的第一人。在他看来，快乐就是生存能力的完善与增强。

弗里德里希·尼采

Friedrick Nietzsche

斯宾诺莎去世200多年后，又出现了一位以快乐为研究核心的哲学家，这就是弗里德里希·尼采。与斯宾诺莎一样，他将快乐视为根本的道德准则，认为快乐的存在使人类活动变得合法合理。尼采与斯宾诺莎的相似之处还在于，他认为快乐纯粹是内在感受，既不来自天堂，也不源于地狱，而是铭刻在我们内心深处。因此他得出与斯宾诺莎相同的结论：快乐是可以依靠的生命力量，而悲伤有损生命，是不祥之物。不过与斯宾诺莎不同的是，尼采不是一位信奉系统论的哲学家。斯宾诺莎以形而上学的自然观为基础创建出一套理论体系，试图全面阐述伦理学的来龙去脉。但尼采拒绝接受任何形而上的理论，并对所有哲学体系置若罔闻，他通过揭示矛盾或惊人之语来表达观点。他是一位“破坏者”，也是一位才华横溢的作家。他的优势同弱点一样鲜明：论断直击要害、充满力量、颠覆常理，但也并非滴水不漏，有时还会自相矛盾。

尼采1844年出生于普鲁士勒肯镇，父亲是一位新教牧师。在那个时代，令人窒息的宗教氛围笼罩整个社会，人的天性欲望受到压制，一切快乐遭到扼杀，尼采就是在这样的环境下逐步形成自己的思想。讽刺功夫一流的他曾毫不留情地向教士、牧师和信徒们发出诘问："可是你们，如果信仰能够救人于水火，那么你们就去满足吧，装出满足的样子！比起我们的理由，你们的脸对你们的信仰更加有害！如果能将福音书中快乐的讯息写在脸上，你们就没有必要如此固执地要求别人相信这本书的权威：你们的工作以及你们的行为，会不断使《圣经》成为多余，通过你们将不断有一本新的《圣经》诞生。"[1]他对宗教进行了尖锐的批评，称其为"痛苦的神学"。在尼采看来，宗教不过是一套泯天性、去肉体、灭人欲的道德规范，这些条条框框折磨着我们，快乐也因此渐行渐远。尼采偏要反其道而行之，他提倡释放天性、驱动欲望，让生命更加充实，也促使我们不断取得进步。

尼采认为，快乐的本质就是一种力量，也是一切能够增强我们生命力的东西，它意味着生命面对死亡、健

1 尼采，《人性的，太人性的》（*Humain, trop humain*），第二卷，98。

康面对疾病、创造面对惯性时前者占据了上风。同斯宾诺莎一样，尼采没有进一步探究情感与欲望等细节问题，只是对快乐做出了广义的判断，但在基本观点上倒是与前辈如出一辙：快乐可以通过个人努力获得，就像一个人在反省之后自我治愈，不过不是像宗教提倡的那样压抑本能，恰恰相反，是为了拥抱生命，让欲望成为我们发光、成长的动力。要知道，快乐的来源多种多样，关键是如何善加利用。为此，我们需要将自己所有的欲望、激情、热情升华为快乐。斯宾诺莎曾说，一旦摆脱所有束缚，我们就能获得完美的快乐，它属于自由的人们，是一种永恒的情感。尼采则用另一种方式表达了类似观点：当人们与生活完全达成一致，欲念就会得到满足，这就是“完美的快乐”。他强调说，这需要人们接纳生命的一切，哪怕是不幸或伤痛，都要无条件地对生命说“是”。尼采指出，基督教承认生命有悲伤的一面，但他并不认同其“只有受苦才能获得救赎”的病态观点。尼采对佛教亦有研究，但他又对佛教逃避痛苦、去除欲望的主张持批评态度。他主张在两种处世之道以外另辟蹊径，欣然接受包括苦难在内的生命赋予我们的一切，尽管人生难免遭遇困境、伤害和恐惧，但我们仍然需要积极面对。这是一种神圣的态度，也是一种绝对的包容，尼采称其为*amor fati*，意思是“对命运的热爱”，即热爱发生在我们身上的一切，而不仅仅将生活视为一种煎熬。在尼采看来，这才是获得纯粹快乐的必要条件，与宗教虚幻的幸福有着天壤之别。不过，人们真的能够接受生命的本来面目吗？尼采认为，如果你愿意重复你的人生，就将得到肯定的答案。正如他在《快乐的知识》第341节这一经典章节中所描述的“永恒的轮回”：想象一下，无论是生活中遭遇的烦恼、经历的快乐，还是遇到的人、生过的病，小至每一个细节，都会不断重复，周而复始，那么只有与生活达成真正的和解，获得纯粹的快乐，我们才能心平气和地接受这种轮回。

快乐即承担生命赋予我们的一切，包括痛苦在内——这也许是尼采最独特的贡献，也是他与斯宾诺莎最大的区别。不过与他的前辈相比，尼采更加强调艺术与快乐的关系，甚至由此形成了一种快乐的美学：在创作过程中，艺术既能让人享受得天独厚的快乐，也浓缩着人生走向成功的至理：只要孜孜不倦地塑造自己，我们就能让生命成为一件卓越的艺术品。

亨利·柏格森

Henri Bergson

斯宾诺莎与尼采之后，又有一位哲学家沿着先驱开辟的道路继续前行。此人便是法国思想家亨利·柏格森。柏格森1859年生于巴黎（1941年去世），同他的两位前辈一样，他也是“研究快乐的哲学家”，虽然我更愿意称他为“人生哲学家”或“生命哲学家”。三位思想家的研究存在着非常紧密的顺承关系，他们都认定快乐是生命力的表现形式。柏格森在书中写道：“自然会通过明确的信号告诉我们：我们的目标已经达到，这个信号就是快乐。”[1]

在代表作《创造进化论》（*L'Évolution créatrice*）中，柏格森认为对于生命及其数百万年进化史来说，存在着一种基本法则，即创造定律。人生来就是为了创造，因此快乐与创造有着内在的联系。可以说，快乐正是人生进阶的体验，当人生获得成功，实现了真正的价值，我们就会感到快乐；当人生遭遇失败，我们就会陷入悲伤。

1　柏格森，《精神能量》（*L'Énergie spirituelle*）。

柏格森列举了一系列创造性行为作为例子，比如艺术家完成一幅作品、企业家顺利实现一个计划、母亲产下婴儿并看到孩子的笑容等等。他认为，母亲感到快乐不仅是因为孩子的笑容，还因为孕育了一个新的生命；同样的道理，企业家开心也不仅仅因为盈利，而是感到自己一手缔造的公司在发展壮大。

与斯宾诺莎相似，柏格森认为生命的完善会带来快乐。与此同时，他还继承了尼采“创造过程对快乐至关重要”的观点，并在此基础上衍生出一套关于生命力的理论。不过，柏格森完全不赞同斯宾诺莎关于消极快乐的论断，他认为，这种源自想象、脱离创造的情感根本不算真正的快乐，充其量只是一种强烈的快感，实在配不上快乐这一高贵的称谓。如果说快乐来自对生命的征服，那么快感仅仅是成长过程中生存的必需。因为快感，我们得以维持生命，吃喝、繁衍、生生不息。“快感不过是大自然维系众生命脉的手段罢了，它从未指明生命的方向，但快乐却能表明我们的人生取得了成功，获得了发展，赢得了胜利，因此，所有真正的快乐都散发着荣耀的光芒。”[1]

1　柏格森，《精神能量》（*L'Énergie spirituelle*）。

让快乐绽放

快乐非人力所控，总是不请自来。我们无法做到让快乐招之即来、挥之即去，因为它只在条件具备的情况下才会出现。在接下来的章节里，我们将着重讨论如何通过自我释放、情感认同以及摆脱羁绊、重拾联系等方式获得积极而恒久的快乐。那么问题也随之而来：我们真的能够在特殊精神状态或行为举止下获得短暂而又深沉的快乐吗？又是否能够营造一种积极的氛围，让快乐与人们不期而遇，并得以充分释放？正如作家马修·泰伦斯（Mathieu Terence）所说："快乐不会主动上门，它总是身不由己，无法预知。因此对于那些教人炮制快乐的灵丹妙方，我们就该像对待瘟疫一样坚决抵制。不过从另一方面来说，快乐确实需要良好的氛围，即一种类似感恩的心态，这样才能形成良性循环。”[1]

根据我的观察，我认为良好的精神状态以及对待生活的积极态度，能够为快乐的生长提供肥沃土壤，比如专注、参与、冥想、信心或豁达、善意、无偿、感恩、坚持等等。当然，这只是我个人的一些浅见，读者们也可以继续补充。

1 马修·泰伦斯，《为快乐点赞》（*Petit Éloge de la joie*），Folio出版社，第23页。

专注

专注首先意味着忠于自己的感官。在很多情况下，我们手中的事务千头万绪，大脑一团乱麻，因此根本不会在意正在经历的事情。比如工作时开小差，盘算着晚饭吃点什么或周末如何度过；做饭时心不在焉，总是放不下办公室中堆积如山的文件；散步时更是神游物外……不过，如果我们在欣赏美景时依然惦记尚未完成填写的社会保险单，那么快乐降临的概率就会微乎其微！

快乐通常由感官体验引发。同样是欣赏美景，如果我们专注于景物的和谐，对远景、色彩、光影、气味、声响（或静默）等用心体会，也许心中就会充满快乐，因为大自然的瑰丽深深打动了我们。我生命中感触最深的几次快乐都是因此而来的。散步时，我的感官会随之苏醒。悄立林中捕捉一线光芒，面朝大海静观潮起潮落，漫步山间与美景不期而遇。无论眼观、耳听，还是触摸、感知、品味，都是产生快乐的先决条件，都在为它的到来创造机会。为什么这样说呢？因为每当我们聚精会神，身心就会被各种感觉占据，所听、所感、所见也会涌上心头，可以说，我们身在此处、活在当下。但生活中经常遇到的情况却是听音乐时还要兼顾工作，或是为其他事务分心，在这种状态下，我极少为音乐的魅力深深折服。幸运的是，我还能找到时间专注地欣赏一首乐曲。黑暗中双目紧闭，任凭莫扎特（Mozart）的《C小调弥撒曲》、创世纪乐队（Genesis）的《百老汇的祭祀羔羊》、阿莱格里（Allegri）的《垂怜曲》、列翁·米纳西安（Levon Minassian）的《来自遥远世界的歌》、巴赫（Bach）的《哥德堡变奏曲》、迈克·奥德菲尔德（Mike Oldfield）的《管钟》、劳格斯（Logos）的《圣体节Ⅱ》、基斯·贾勒特（Keith Jarrett）的《科隆音乐会》等许许多多的优美旋律在耳边流淌。我完全被音乐占据，快乐有时便会不期而至。

我是如此享受由感官带来的快乐，但为了捕捉这种感觉，我还经历了一个漫长曲折的过程。童年时，我因为一些情感创伤变得封闭，经常陷入沉思和想象无法自拔，在一定程度上失去了控制情绪和感知外界的能力。青年时，我接受了旨在提升专注力的维托疗法（Vittoz），重新学会与事物接触并描述自己的感受，以此体会和分辨因感知引发的情绪变化。既然我曾脱离躯体神游物外，那么就要训练自己与其融为一体。对我来说，这也意味着接受此前一直抗拒、逃避的痛苦经历，不快感受以及负面情绪。这一疗法对我帮助良多。十多年后，我在此基础上又接受了格式塔疗法（Gestalt），后者唤醒了隐藏在我身体记忆中的压抑情绪，我试着对它们进行研究，感受着愤怒、悲伤以及恐惧等各种情绪。我坚信，这是迈向快乐的第一步。此外，我们还要重新学会观察、触摸、凝视、感知，并时时聆听内心的呼唤，不再将自己与情绪隔绝开来，这就需要我们投入充足的时间体验生活。无论是简单的刺激、短暂的触动，还是瞥一眼风景、听一耳朵音乐，都很难带来快乐，唯有将身心沉淀下来，感知外界发生的一切，才能体验真正的快乐。不过，一旦我们加强与外在世界的联系，就要接受由此带来的负面情绪，比如悲伤、愤怒和恐惧等。

参与

一行禅师是世界闻名的佛教大师，他生于越南，1969年后移居法国。每当有人向他请教冥想的最佳方式，他总是这样回答：去洗碗吧，就像为婴儿时期的佛陀沐浴那样心存恭谨。特雷莎修女也曾留下类似的箴言：当你照顾麻风病人时，要像照顾耶稣一样小心细致。这两位伟大的人物给我们上了珍贵的一课，即全神贯注的重要意义。无论你做的事情多么微不足道，都要像对待世界上最重要的事情那样认真完成。他们所提倡的，正是一种全身心投入的参与态度。

专注让我们学会参与，但参与远比专注更加复杂，它是一种全身心的投入，不仅是感官，还包括我们的心灵和精神。看得远、听得清、感触深，可谓专注。但参与不只是感觉，也不是与外界互动的寻常方式，而是以海纳百川的心胸拥抱现实、世界和他人，因为我们知道，这样做能够丰富自己的心灵，甚至带来快乐。同时作为回报，我们也在帮助他人不断成长，在人生旅程中获得快乐。

事实上，生命的价值并不取决于我们完成了多少事情，而在于每一个过程中我们投入了几分心力。然而现代的西方社会，处处以数量论英雄，人人都在拼命增长自己的阅历，似乎只有满足这样的标准，才算拥有了丰富的人生。以旅游为例，有些人执着于最全“路线图”，希望能够游览或者说飞越尽可能多的国家、城市和博物馆。人们目不暇接，几乎没有时间细细品味沿途的所见所闻。每到一处就迫不及待地掏出相机自拍，然后扫上一眼名胜古迹，在确认景物与明信片并无二致后就抬脚走人。对于此类旅游，我是避之唯恐不及的。许久以来我就下定决心，旅途中不拍照片，除非是一些我可以无忧无虑地长期欣赏、感受、品味的地方，那么在离开时或许可以破例。这样的经历，让我收获了多少快乐！

旅途中，还有一种情况令我惊诧不已。大批游客在“游览”一个国家的时候，甚至没有时间——或许他们也不觉得有这个必要——与路边的小商贩或公交车司机等当地人聊上几句。总之，人们擦肩而过，既无眼神交流，也无只言片语。

罗马尼亚齐奥塞斯库政权倒台后，我们的电视曾反复播放着可怕而令人心碎的画面：孤儿院的数千名孩子挤作一堆，被人们遗忘。这些孩子为此受了许多苦，但从他们的面部和肢体语言可以看出，最令他们恐惧的在于无人关注、无人问津。在那里，没有人向他们投来充满爱意的目光，让他们感到自己还存在于这个世界。事实上，除了满足食物、住所等最基本的需求外，建立这样一种联系、保持这样一种交流正是维系孩子生存的条件之一。众所周知，如果一个婴儿在最初几个月内缺乏爱抚、呢喃、情感交流以及外界关注，那么在成长过程中必然会落下严重的后遗症。

在结束会考之后，我同其他年轻人一样计划四处游历并参与一些人道主义行动。我随后去了印度，在加尔各答一个特雷莎修女创建的养老院做义工。那里的工作人员每天都为后勤、秩序等各种行政管理事务忙得不可开交，例如安排食宿、遵守作息时间等。虽然一切都在高效运转，但我却总是感到不大舒服。这里住的都是一些濒死之人，他们一个挨着一个躺在地铺上，其中大多是被慈善机构人员从街上搬到这里的。他们受到全面周到的照顾，但这并不是安抚他们的最佳方式。一天早上，我停下手中的工作，来到一位濒死的老人面前。我坐在他身边，握着他的手与他交谈。当然，他并不明白我在说些什么，因为我讲的是法语，而他只懂得印地语。但这并不重要，我们就这样建立了一种默契。我轻柔地按摩他的头部，注视着他的眼睛，不断触摸他的项背、肩膀以及脸庞。这时，两行清泪滑过他刀削般的面颊，我感到他周身散发着快乐，而这种情绪又一点点传递给我，让我突然感到心中充满快乐。在那一刻我悟出了一个道理：这些人最需要的不过是有人陪伴在侧。无论是伸一把手，还是抚摸一下脸颊，或是聊上几句，只要敞开心扉、真诚以待。反过来，他们的回应也会深深影响到我们，哪怕一个眼神、一个微笑，都足以震撼人心。这件事之后，我请求养老院的负责人免除我承担的一些具体事务，以便全身心地投入陪伴的工作，为那里的人们献上我的绵薄之力。

冥想

冥想能够帮助我们增强注意力和参与感。在加尔各答养老院工作的同一时间，我受印度佛教氛围的影响，开始跟随西藏喇嘛学习冥想。

我感到自己需要掌握冥想这门技能。事实上，冥想的入门十分简单，只需在一个无人打扰的场所，用一种舒适的坐姿呼吸吐纳，同时让自己内心变得宁静，默默观察发生的一切。在此过程中，我们关注自身，也放眼世界。我们倾听众声喧哗，体会呼吸起伏，感受肉身的存在以及生命的真义。我们直面心中悲伤，冷眼旁观却不会深陷其中。我们照常呼吸，却从不将注意力聚焦在呼吸本身。我们任思绪如走马灯般在脑海中上演，但却并不为此停留，随着时间推移，思绪便会逐渐消散。35年来，我每天都在练习冥想，对我而言，这是一个可以真正增强注意力的训练，有时我的练习时间只有几分钟，有时则会持续半个小时甚至更长时间。

我欣喜地看到，如今，已经彻底世俗化的冥想开始在西方兴起，我们将其称为“完全意识”（pleine conscience）。在精神病学专家克里斯托夫·安德烈等人的努力下，很多法国精神病院逐渐接受了这一理念，并将其越来越频繁地应用于临床治疗。它给病患带来了巨大的福音：与其陷入混乱的想象无法自拔，不如重新学会感知外界，帮助自己平复情绪。此外，冥想也被引入监狱、企业甚至学校。我唯一感到遗憾的是，法文用术语“完全意识”来指代冥想可能会造成一些歧义。从严格意义上讲，意识带有反思的特性，但冥想既不用想，也无须思考，只是简单地凝神聚气而已。在英语中，冥想对应的词是*mindfulness*，意为“全神贯注”，我认为这一说法更加准确。因为在冥想状态下，我们仅仅是以观察者的身份审视过去发生的事情，不需要理解，也不用思考。冥想的一个主要目的是增强注意力和参与感，通过练习，无论对他人还是自身，我们的注意力都得到很大提升，而且还收获了许多意外之喜！冥想中，情绪得以释放，希望之光乍现，快乐不期而至。这些快乐大多没有来由，跟思考没有关系，尤其不针对任何对象，只是单纯地因为存在和生活而喜悦，因为充满善意的参与而开心，因为放飞心灵、专注自身和整个世界而快慰。当类似的快乐从天而降，我既不会雀跃，也不会蹦高，亦不会鼓掌，而是继续冥想。可以肯定的是，我感到脸上浮现出一个大大的笑容，如果这时睁开眼睛，那么我的眼神一定会是熠熠生辉。此外，我的呼吸也变得舒展深沉，有时我需要张开双臂，如同欢迎一位亲爱的朋友。当然，在极少数情况下，灵魂最深处的悲伤会慢慢浮现，但我知道，这是专注与开放必须付出的代价，泪水中没有苦涩的味道。

自信与敞开心扉

当一个人敞开心扉，也就意味着在某种程度上暴露自身的软肋，准备接受包括伤害在内的一切可能，因此，很多人选择了自我封闭、自我保护，仅仅为了生存而活。

一路走来，我曾遇到许多类似的人，他们为了免遭伤害，在不同程度上用“盔甲”武装自己，或是将感情封闭起来，或是为内心设防。[1]当然，他们因此少受了很多痛苦，但也将爱挡在了心门之外，无法享受其中蕴藏的深厚快乐。如果你选择情感丰富的人生，那么就要承担与之相应的痛苦，这是必须付出的代价，也是值得经历的人生。封闭的心灵对一切免疫，但也包括快乐。

有时我们走在街上，碰到陌生人上前搭讪，大约有一半人会掉头离开、不予理会，这一比例在大城市中甚至高达三分之二。我们总是借口要赶时间，但真实情况

---

1 这种现象让我联想到一个传授宗教奥义的故事《水晶之心》（*Cœur de cristal*），Robert Laffont出版社，2014年。

往往是我们心怀恐惧。我们担心陌生人麻烦自己，担心受到人身攻击，担心遇到乞丐要钱，事实上，很多人不过是想问路而已。于是我下定决心，绝不在第一次接触时拒人于千里之外，当有人上前与我攀谈，我至少会留出一点时间了解情况：有时是接受认出我的读者上前表达谢意或是提出批评意见，有时是为问路者指明距离最近的药店的方向或地址，有时是为陷入困境的人们送出一个微笑或是递上几枚硬币，我也因此在与“路人甲乙丙丁”的接触中擦出许多美妙的火花，收获了由衷的感动。这些一面之缘让我的内心丰富多彩、充满快乐。

敞开心扉的一个前提是对生活充满信心。这种信心来自父母，从生命之初就已存在。毕竟是他们用信心创造了生命，开启了为人父母的旅程。出于本能，孩子对父母给予无条件的信任，只是在成长过程中，我们不断遭遇挫折、受到伤害，经历了许多痛苦与创伤，于是有时会失去对人生的信心，对外部环境、陌生人以及整个世界的不信任感也在与日俱增。因此，克服心中恐惧和治愈心灵创伤至关重要，唯有如此我们才能重拾信心，不断前行。我们需要像孩子那样付出信任，因为没有信心就无法进步。正如我们此前观察到的，真正的快乐来自进步与自信的感觉，又因分享而效果倍增。

快乐常以出其不意的方式敲响我们的心灵之门，只要保持足够专注、参与、开放的心态，就能充分享受并品尝快乐的滋味。当然，这并不代表我们必须对一切照单全收、来者不拒。保持敏锐直觉和增强分辨能力非常关键，这样有助于远离那些可能对我们造成伤害的人与事。快乐不会潜滋暗长，它总是来得惊天动地、出人意料。

善意

从创始初衷来看，佛教并不是一种传授快乐的智慧，而是一种教人摒弃欲望的智慧，但在整个修行过程中，快乐（巴利文中也作*mutida*）的概念却贯穿始终。这一点从佛教雕塑中就能看出：佛像通常面带微笑，散发出由衷的喜悦。与之相反的是，古希腊和罗马雕像虽极尽华美庄严之能事，却无法向人们传递发自内心的快乐。

在佛教中，快乐通常指的是因参悟佛法而产生的喜悦。这与斯宾诺莎的观点不谋而合，后者认为，在不断进步、赢得胜利、自我完善的过程中，人们就能获得快乐。佛教教义还指出，快乐有近敌和远敌两大敌人。近敌即沾沾自喜，指的是因迷恋世俗利欲而产生的肤浅快乐，也就是斯宾诺莎所说的消极的快乐。远敌即眼红妒忌，指的是面对他人成功或幸福产生的愤懑之情。真正的快乐与之截然不同，它是利他主义的产物，是对他人幸福的由衷喜悦。这种爱以及随之而来的快乐源自心中的善意（梵语为*maitri*），只要人们修行佛法，就会对一切生灵心怀善意，正如父母为孩子的点滴进步展露欢颜，朋友或情侣为挚爱之人的成功开心不已，我们也会为世间万物的成长、绽放和成就而欢欣鼓舞。这种因善意而产生的快乐无疑是治愈对他人的成功和幸福心生嫉妒的最佳药方。事实上，嫉妒心在西方社会司空见惯，在法国尤为严重！与其嫉恨他人，不如为他们的成功鼓掌；与其深陷悲伤怨恨无法自拔，不如转换思维重寻快乐；与其躲在暗中对成功者诽谤中伤，不如光明磊落地为其成就击节叫好。我们需要走出竞争的病态思维，不要一会儿纠结“这个人比我漂亮吗”，一会儿琢磨“那个人赚得比我多吗”，为什么要把时间浪费在这些攀比和算计中呢？

佛教已向我们有力地证明：攀比与嫉妒滋生不幸，只有懂得欣赏别人优点、真心祝福他人成功，才能获得源源不断的快乐。

无偿

随着时代变迁，无偿这一概念正在被不断扭曲。一方面，现代工业将越来越多所谓“免费”的服务和信息呈现在我们面前，而事实却是我们依然需要自掏腰包，要不就是被广告蒙蔽。另一方面，我们的一举一动越发受到经济效益、社会成就和世俗眼光的左右。每当我们开始做事，总要先问上一句“这样做有什么用”，即便在职场之外，人们也是斤斤计较、患得患失。

不过，造成今天的局面也不能全怪我们。生活节奏越来越快，可支配时间越来越少，对效率和性能的要求无处不在，我们别无选择，只能将有用与否作为衡量事物的优先标准。如今，我们的快乐不断递减，甚至消失殆尽，都与这种思想观念不无关系。许久以来，我就注意到一种现象：在巴黎，快乐的人少之又少；2015年春我旅居纽约两个月间，这种感觉同样十分强烈。起初我受到了人们的热烈欢迎，不过在接下来的日子里，我发现绝大多数的人并不快乐。但他们还有别的选择吗？很多人长期面对职业和生活的巨大压力，时刻处于紧张甚至是筋疲力尽的工作状态中，他们从不休假，以此给自己一个充电的机会。

如果你渴望获得快乐，那么就请尽快从功利思想的禁锢中摆脱出来吧，否则我们将无法敞开心灵，获得自由。通常情况下，当人们无所期待、无利可图的时候，快乐才会如约而至。比如说，我经常出席一些讲座和研讨会，在众多听众面前发表演讲。这些演讲有时是付费的，但我总希望主办方能为经济状况不佳的人们提供优惠票价或免费入场的机会。与这些有偿演讲相比，我更倾向于接受一些小型组织和社区书店的邀请，他们对我的情况十分熟悉，有时会连续数年与我联系，力邀我前往现场发表观点。虽然这些讲座不会带来任何经济收益，但我却能真切感受到分享快乐的热烈氛围。最近，我就经历了这样一个感人的时刻。一位名叫埃马纽埃尔的年轻女士新开了一家小书店，整个书店不过一间房屋，坐落在巴斯蒂亚郊区的廉租房社区。在她的邀请下，我来这里办了个讲座。由于空间有限，她租用了市政府的一间大厅，希望能够容纳50多名听众，但最后这间大厅居然来了400多人，而且绝大多数是站着听完讲座的！如今，我唯一记得的场景就是：空气中洋溢着交流的快乐，每个人都为此而深深陶醉。

大约在20多年前，我辞去一直从事的编辑工作，开始专心写作。在那个时期，我有充足的时间享受生活，每天无拘无束、悠闲度日。后来，随着我的作品逐渐走红，外界的邀约开始与日俱增，我还在媒体负责制作一档新的节目。此外，我贷款在法国南部购置了一所漂亮的房子，为了还清贷款，我每天拼命工作，周旋于各式各样的邀请。渐渐地，我发现属于自己的时间越来越少，快乐的时光日益黯淡，于是我做出一个决定：离开此前负责的《宗教世界》(*Le Monde des religions*)栏目，尽量减少在广播中发声和公开演讲的频率。我还卖掉了南部的房产，在当地另行购买了一所简朴许多的房子，将自己从债务中解脱出来。现在，我手中有大量可以自由支配的时间，我不用再疲于奔命，也无须终日殚精竭虑，我甚至可以同自己坦诚相见，这在事务缠身的时候几乎是不可能的事情。突然间，我重新发现了享受自然、周游世界、徜徉都市、流连书店的乐趣，找回了这些渐行渐远的习惯曾经带给我的幸福。我再次毫无保留地向生活敞开了心扉。

感恩

我常常觉得，生活如此厚待于我。我幸运地拥有知书达理的父母，从他们身上我学到了很多东西。当我还是个孩子的时候，父亲会抽出大量闲暇时间为我读书；等我步入青春期，他又引领我进入哲学的世界，探究哲学的奥妙。由此，我在阅读苏格拉底、伊壁鸠鲁、斯多葛的过程中产生了一系列关于存在的问题：什么才是美好而成功的人生？怎样的价值观能够引领并指导我们的生活？如何让身体与精神实现和谐？是否存在长久的幸福？面对痛苦煎熬，我们该何去何从？人类是否存在不朽的一面？这些思考始终伴随着我，直到现在。

我的家庭条件十分优越，在物质层面可以说是应有尽有。我身体健康，在世界各地结交了许多朋友，更幸运的是，我从事的工作与爱好完全一致，即写作。（这里所说的是普通意义上的爱好，而不是斯宾诺莎特指的爱好。）为此，我每天都满怀感恩的心情。无论人们如何定义，我都要感谢生命的源泉和它蕴藏的奥秘；我还要感谢活在世上，身体健康，拥有热爱的工作，结交了一群志趣相投、共同成长的好友。人生赐予我们如此丰厚的礼物，不要等到历经磨难才真正意识到它的可贵。“在幸福离去的喧嚣声中，我发现了它的存在。”雅克 · 普雷韦（Jacques Prévert）的描述可谓恰如其分。

我之所以有此领悟，还要归功于一次生病的经历。一天清晨，我醒来只觉脖子酸痛难忍，不由得开始抱怨起来。满腹牢骚中，我突然想到，此前的每一天，我都能精神抖擞、无病无痛地醒来，这是何等的奇迹！于是从这天起，我形成了一个习惯：早上醒来的第一件事就是感谢生活，天天如此，乐此不疲。无论是躺在床上还是走出家门，我都要感谢上帝，正是以他的名义，生命才拥有了如此多的奥秘；除此之外，我们还应感谢生命，感谢自己依旧生龙活虎，始终怀揣过好每一天的美好愿望，以及拥有许许多多快乐的可能。如今，感恩已经成为我每日必不可少的功课，不但醒来如此，睡前亦是如此。

曾几何时，我饱受失眠折磨长达数年之久。每当我闭上眼睛，白天所有的烦恼就会浮现在脑海之中，而我非但没有放松自己，反而苦思冥想解决之法。一旦思之不得，又会感到遗憾万分，于是一大堆新的问题纷至沓来。与积极快乐的信息相比，我们的大脑更倾向于留下消极痛苦的记忆。这种天性与人类的进化过程密切相关：为了生存，我们的祖先不得不时刻将危险与恐惧铭记于心。但如今早已不是茹毛饮血的洞穴时代，我们理应摆脱这种生物进化中形成的无意识习惯，甚至反其道而行之，学会记住美好的时光。我有一位魁北克的朋友名叫克里斯蒂娜·米肖（Christine Michaud），是教授积极心理学的老师。她曾告诉我一个对抗失眠的小诀窍：临睡前重新整理自己的记忆，列举当天发生的五件具有积极意义的事情，哪怕是微不足道的小事，例如一个好消息、一次愉快的会面、一次惬意的阅读或一些快乐的瞬间，以此让内心充满感恩。从那以后，我时常带着快乐入睡，睡眠质量果然改善了许多。

拥有一颗感恩的心，首先要感谢生活，懂得回馈生活赐予我们的一切，而不是予取予求、贪得无厌。生命是一场永恒的交换，有收获，就要学会付出；而付出的过程，也是传播和感知的旅程。我希望自己的作品成为人们所说的“大众读物”，通俗易懂，人人都能接受，而不是引经据典、展示大学教育成果的学术著作。事实上，我也出版过类似的书籍，并牵头编写了三部百科全书，幸运的是它们依然存在，不幸的是读过的人寥寥无几。因此，我更愿与大众分享自己对哲学、心理学以及精神层面的思考，正是这些思考让我的生活更有质量。与我的经历不同，很多人并不会花费数年时间埋头苦读柏拉图、亚里士多德、斯宾诺莎、荣格以及佛教、《圣经》等，因此我能做的就是帮助他们发现和领会典籍中蕴藏的智慧。既然我掌握了工具，我就要倾其所能，为读者所用。生命中存在很多交换，传播知识是其中最基本的一种，虽然我的做法招致了一些人的批评和指责，他们认为这样做无异于亵渎知识或牟取暴利，但与我获得的快乐相比，这点委屈实在不值一提。

坚持

柏格森曾经强调，真正富有创造性的快乐源于不懈的努力。他认为，这种努力与物质的反作用不无关系。“物质激发努力，同时会让努力开花结果。如果没有物化的过程，思想只是思想，艺术品不过是设计，作诗仅仅是梦想，不需要人们付出任何努力。只有当诗化作美丽的辞藻，艺术设计变成一座雕像或一幅油画，人们才会为之不懈奋斗。奋斗是艰辛的历程，也是珍贵的付出，它甚至比结果更加重要。因为在这一过程中，人的潜能被充分激发，水平不断提高，最终实现自我超越。”[1]我完全赞同这一观点，并且认为它适用于任何需要付出努力的工作。从坚持不懈到梦想成真，奋斗总能为我们带来源源不断的快乐，至今我仍然记得，经过七年苦读，我为博士论文画上句点时的欢喜雀跃。

1 柏格森，《精神能量》（*L'Énergie spirituelle*），第51页。

2015年春天，我在纽约也经历了类似的快乐，这是对我一次长期而昂贵的付出的最好褒奖。几年来，好几个英语国家邀请我前往当地发表演讲，但我的英语水平仅限于学校学到的一点皮毛，所以每次只能婉拒，为此我感到万分懊恼。有一天，我的法国出版商告诉我，一家美国出版社准备出版我的《幸福，一次哲学之旅》（*Du bonheur，un voyage philosophique*），并组织一系列大型推介活动，但他们有明确要求，即我必须用英语发表演讲。当时，我不知哪儿来的勇气，明明知道自己不可能做到，但还是答道："没问题，我会用英语发言。"于是，一场与时间的赛跑就此展开：我必须在六个月内熟练掌握英语口语。前四个月，我每天都在Skype软件上学习对话课程，我从基础的语法学起，掌握了数百个相关的专业单词，在最后两个月时间里，我搬到纽约居住，完全融入当地的生活。接受考验的时刻终于到来，这是我首次接受纽约最重要的国家电台采访。进入录音室前，我紧张焦虑到了极点。在接下来30分钟的直播里，我回答了主持人和听众提出的一连串问题。一切都进展得十分顺利，节目结束后我的新闻专员向我表达了热烈的祝贺。当我一个人走在人行道上时，我的心情是如此激动，我向天空张开双臂，胸中满溢着感激之情。我曾经付出了多少努力，忍受过多少焦虑，那一刻我就有多少快乐。

每个人都曾经历过这样美妙的时刻，这就是坚持不懈带给我们的快乐。

放手与接受

我们总是很难接受事物中的不确定性、偶然性以及难以估量的因素，即便只是一种幻觉，也要拥有对人生的绝对掌控。我们拼命纠缠、不肯放手，无时无刻不在思考、分析着过往，希望从中汲取失败的教训，以便将未来牢牢抓在手中。我们不能容忍任何细枝末节从眼皮底下溜走，而“放手”则是与之截然相反的人生态度：当我们明知事情的发展轨迹无法改变，就要学着接受，而不是生气发火、自怨自艾，甚至被负面情绪控制。

在此前的章节中，我曾提到斯多葛派学说。斯多葛派主张，在不由自主的情况下，不要做徒劳无益的抗争。从这个意义上说，放手并非听天由命，而是保持一定距离和相对超脱的态度，接受生命赋予我们的一切。因此，当我们遇到无法解决的困难却还能保持淡定、坦然接受，快乐就已经在距离不远的地方。快乐既与意识的觉醒息息相关，也需要我们努力克服愤怒、焦虑、紧张等情绪，只要成功做到这些，就能获得快乐。

对此，我在十多年前就有非常深刻的切身体会。那时我住在巴黎，有时出行会选择以车代步。一天，我既要赴约，又要赶去参加重要会议。为了节省时间，我开车出了家门。当我赶到与德国出版商约好的餐厅时，已经迟到了。为了不给她留下糟糕的第一印象，我在匆忙间把车随便停在了某处。结果在走出餐厅的一刻，我一直担心的事情发生了：车子消失得无影无踪，原来是因为违规停车被警局拖走了。一股怒火蹿上脑门，想到需要缴纳的罚款、取车浪费的时间以及错过的重要会议，我忍不住破口大骂，午餐时的美好记忆和愉快交谈也都统统消失不见了。突然间，一个低沉的声音在我耳边响起：“事情有那么严重吗，你竟会如此失态？”我抬起头，长长地吐了口气。天气晴朗，真是一个阳光灿烂的夏日；岁月静好，生活向我展露迷人的微笑，我还在从事自己热爱的职业，难道就因为车被拖走，我的生活就变得一塌糊涂？这一刻，在我懂得放手的一瞬间，快乐又重新回到我的心间。这种感觉如此强烈，以至于我忍不住大笑起来，被拖走的车子似乎也变得微不足道了。我取消了所有约会，开开心心地前往警局取车。不久后，我卖掉了车子，在巴黎出行全靠走路、骑自行车、乘坐公交或出租车。每逢周末需要远行，我就租上一辆小车。这样做为我省去了多少现实的烦恼!

当我们不再纠结于将一切掌控在手中，我们已经慢慢敞开了心扉，逐渐形成了开放的思想，这些正是获得快乐的有利条件。当我们遇到困难和挫折时（如“我的车子被拖走了”“火车停运，我赶不上中转了”“网络连接出了故障”等）学会放手，我们其实已经接受了人生的阴晴圆缺，不再像被车拖拽的小狗做出无谓的挣扎。无论生命之河将我带向何方，我都会逐浪而行，顺流而动，前提是除此之外别无选择。

说到这里，我们已经触及道家思想的核心。这一学派与儒家思想截然不同。孔子认为：德行是获得幸福的前提条件，而所谓的德行就是遵从天道，效法宇宙运行的规律。在这套法则中，一切都是可预知的，能够令人无比安心。比如日出日落都完美遵循着固定的时间，再比如我们能够按日算出一颗流星何时划过天际。但道家奉行的则是另一套逻辑。他们承认天道循环之美，但认为人生于尘世而非天外，世事难料，我们固然能够预测未来三百年间太阳升起的时间，但却无法预知次日的天气，世间充满着混乱、起伏、变动以及种种不确定因素。与古希腊哲学和儒家孜孜以求的从容、超脱不同，道家以寻求快乐为终极目标，其路径则是敞开心扉，顺从生命的自然轨迹，快乐度日。

道家最知名的思想家之一名叫庄子。关于他的记载十分有限，我们只知道他生活在公元前4世纪，被视为道家创始人老子的继承者。一部以他名字命名的著作在道家学说中占据着举足轻重的位置，世人普遍认为他就是这部书的作者。庄子曾经用渡河的例子来阐释自己的理论。他说，中国江海水势浩大，波涛汹涌，就好比我们的生命之河。人们在渡河时大多会竭尽全力、逆流而上，但结果却是徒劳无功，最终筋疲力尽溺水而亡。庄子认为，水流越是湍急，就越不应该与之抗衡。心中向往着对岸，身体随波浪起伏，顺水流漂荡，我们就能成功渡河，安全且轻松地到达彼岸。

我曾在阿基坦与一群游泳高手讨论过这个问题。他们告诉我，在大西洋沿岸，有时会有一股极其可怕的潜流穿洋而过。如果游泳者被这股洋流裹挟其中，即便距离岸边只有几米之遥，也一定不要试图挣扎，因为这样做非但徒劳，而且会导致溺水。唯一的自救方式竟然是……仰面朝天，如冲浪一般任由身体在潮水中漂浮。这股潜流（也称沿岸流）会在第一时间远离你，然后将你冲向岸边，渐渐地你会感觉双脚已能着地。也许这里距你下水的地方有点距离，但由于适时放弃挣扎，你至少摆脱了溺水的危险，逃出一条生路。如果我们将这一道理拓展到为人处世中，就能理解《庄子》一书阐述的人生至理：当你身处逆流，不要抗拒，只需顺流而下、伺机而动，就能最终达到目标。从某种程度上说，我们等待的无非是一个于我有利的时机。

道家思想就是一种讲求时机的哲学。它所主张的“无为”并不是什么都不做，而是顺势而为，始终牢记自己的目标和本心，拒绝急功近利、不择手段。如果我们的目标与人生走向背道而驰，不妨先顺应这一趋势。目标或者可以晚些达成，或者在此期间我们又有了新的方向，那么放弃也是个不错的选择。事实上，有时人生对我们来说就像一场又一场的考验，它让我们明白，在某一阶段锁定的目标未必就是最佳选项。在我的另一部著作中[1]，我曾描述过这样一段经历：30岁时，我辞去编辑工作，全心投入写作。我是如此的惶恐，又是如此的幸运：在对前途充满怀疑和经济遭遇困境的时刻，我曾想找份养家糊口的工作就此了事，但命运向我伸出了强有力的援手，它关闭了我另寻出路的大门，让我坚持在这条路上走下去。

道家关于放手的理念让我们在生命的潮起潮落中体会到了快乐。懂得放手，实际上就是随人生的起伏而动，适应其奔涌向前的形态，哪怕在此过程中意外不断。懂得放手，也意味着接受生活永远处于不稳定状态这一事实。如果人生脱离了我们希望的轨迹，或许我们只能从中获得些许启示，或许在突如其来的变化面前曾经的坚持变得不再现实，又或许某天峰回路转，我们还能沿着原定的方向继续前行。

人生充满着不确定性，这就是现实。那么我们应该为此抱怨吗？不妨反过来想象一下，如果我们的生活如

---

1 《小议内心世界》（*Petit traité de vie intérieure*），Plon出版社，2010年；Pocket出版社，2012年。

同乐谱一般规律，能够精确预知未来发生的事情，那该是多么的乏味！因此，与其苦着一张脸，忍受更大的痛苦，不如微微一笑，快乐前行。学会放手，就如同与生活达成了某种形式的一致，无论微不足道的小事还是举足轻重的大事都能泰然处之，而且无须拥有多么深邃的智慧。面对各种日常烦恼，我们可以从现在做起，从能够掌控的小事做起，用行动诠释我们与生活之间达成的默契。这是一个渐进的过程，就让我们一同学习将困难与挫折转化为积极的动因、快乐的源泉吧。

身体享受

如果说放手与接受是通过精神调节获得快乐，那么在本章结束之前，我还想再回到身体享受这一话题。在本书的一开始，我就强调过感官认知的重要性，并将其比作通往快乐的大门。但我们的身体不仅通过感官的高度专注产生快乐，它还具有和谐、平衡、力量、柔韧、敏捷等特质，一旦与心灵和精神完美地融合在一起，同样能为人们带来快乐。当然，做到这一点绝非易事，不过只要我们用心体会、细细品味，并不断放大其效果，就能深刻体会到快乐的感觉。以我自己为例，我之所以有此体会，是自幼习武的缘故。从8岁到18岁的十年间，我一直在练习武术，特别是柔道和空手道。也许正是得益于这段经历，我懂得了关注、热爱自己的身体，并从整体、力量与和谐的角度时时感受它的存在。无论是行动的迅捷，还是动作的精准，或是肌肉恰到好处的紧张，无不让我们体会到人生的乐趣、生命的活力。同样，游泳、跑步、舞蹈，甚至是简单的步行，也能带给我们愉悦的感觉。有时在我身体状况良好的情况下，我会将机械有的走步转化为有意识的行进，充分享受身体健康、精神焕发的快乐。事实上，这也是冥想的一种方式。佛陀曾告诫他的信徒："专注于你的步伐，就能排除杂念，感知自己的内在与精神。"有时我会做一些诸如跳跃、舞蹈之类的剧烈运动，当然主要是利用在大自然中远足的机会，而非在城市的人行道上手舞足蹈，我太喜欢体会和释放这种身体极度兴奋的感觉了。

这一道理显然也适用于两性关系。这就是性爱带给我们的快乐。我们完全专注于感官享受，尤其当我们与伴侣的心灵同频共振，快乐的感觉就会倍加强烈，身体的享受真正成为一种绝佳的体验。我们将注意力倾注于自己的身体，感受肉体的交缠、灵魂与心灵的颤动。我们的身体无限舒展，自我意识爆棚，头脑停止思考，两人融为一体，甚至感觉整个宇宙都与之紧密相连。这种经历可遇而不可求，但得益于两性关系，我们体会到多少生命的活力与快乐！

从这个意义上讲，照顾好自己的身体是一件极其重要的事情，只有通过健康均衡的饮食、良好的睡眠、充分的锻炼，才能时刻保持健康的体魄。像叔本华这样对快乐持严重怀疑态度的哲学家都曾表示，获得幸福最重要的事情就是每天行走两个小时，而且最好是在自然环境中！可以肯定的是，保养得宜、关爱自身（但不要过度或过于专注）以及感知身体、实现精神与肉体的和谐，正是产生快乐的必要条件。

做自己

人类最无知的行为莫过于罔顾自我认知，

一味迎合他人。[1]

——艾哈迈德·伊本·阿塔·阿拉

(Ahmad Ibn Ata Allah)

苏菲派大师，公元 8 世纪

1 艾哈迈德·伊本·阿塔·阿拉，《格言合集》(*Les Aphorismes*)。

我们刚刚回顾了一些生活态度，有助于为快乐创造适宜的土壤、气候，并为其到来做好精神准备。但是，这样的快乐都是短暂的。当我们学会放手、感恩生活、战胜自我时，我们虽然获得了充实而强烈的快乐，拥有了极致的体验，但这毕竟是昙花一现、转瞬即逝。斯宾诺莎是第一位注意到这个问题的哲学家，他一直在探索让快乐更加持久，甚至获得永恒的路径。换句话说，既然人们能够创造出佛陀和古代哲学家心向往之的清明境界，即一种充满幸福、从容和宁静的状态，那么我们能否通过努力，让快乐也成为一种日常状态？它未必是让人又蹦又跳、载歌载舞、大喜过望的激烈表达，而是一种静水流深的喜悦，能够在人生的演进中不断触动我们的心弦。

我认为我们完全可以朝着这个方向不断努力，而且创造快乐状态的道路不只一条，而是两条。从表面上看，这是两条截然不同的路径，但事实上它们却互为补充。

第一条道路是从自己的内心寻找力量，我将其称为释放的快乐。

第二条道路是向他人敞开心扉，与这个世界达成和解。我将其称为融入的快乐。

在接下来的章节中，我将着重向读者介绍这两条道路，以及如何在寻求自由与爱、实现脱离与回归的过程中一步步接近哲学家与先贤们所说的“完美的快乐”，最终你会发现，快乐与外界无关，无论什么都无法使其枯竭。

个性化过程

第一条培养积极而永恒的快乐的道路是从自身获得力量，最终做回真正的自己。我们首先要做的一件事就是反躬自省，即通过自我审视，分辨出哪些东西不属于我们，而是外界通过教育和文化或多或少强加给我们的，其中包括对社会、对宗教和对我们自己的看法和信仰。这些固有观念很可能限制甚至扼杀真正的“自我”，从而导致我们心情低落、痛苦不堪。从这里开始，我们可以进行一个切割，换言之就是摆脱羁绊。我们的生活由各种各样的关系构成，它们的作用不可或缺。如果脱离社区和家庭，丧失了我们从出生起就继承下来的价值观和信仰，那么人生之路必定寸步难行。但是，如果我们希望获取更深层次的快乐，就必须用批评的眼光审视这些联系，然后将妨碍我们的关联一一斩断。我将这种做法称为“切割”，由此我们也迈出了通往自由的一大步。

在这里，我想谈谈瑞士心理学家卡尔·古斯塔夫·

荣格的“个性化过程”理论。荣格曾是弗洛伊德的弟子，最终却在学术上与导师渐行渐远。个性化过程一般发生在35岁到50岁的中年阶段。在这一阶段，人们的想法往往与固有经验背道而驰，正是在冲突和矛盾中，人们开始意识到自己真正的天性和真实的渴望，逐渐发现部分生活现状与我们内心最深处的想法格格不入。比如温特尔本想在金融界一展拳脚，但他身为钢琴家的父亲却非要让他投身艺术，全然不顾他在这一领域资质平平。反过来，一位银行家曾经梦想成为演员，却被他的父母兜头泼下一盆凉水：“这可不是一个安身立命的好职业！”有人本想在毕业后继续求学，但周围人不断向他灌输：“你一文不值。”结果他接受人们的建议，早早开始了工作，终其一生都没能摆脱这一负面的判断。还有男性幼时喜爱女孩的玩具，但人们出于培养男子气概的考虑，将男孩的玩具硬塞给他，于是在他的成长过程中，其细腻敏感的一面受到压制，内心感到压抑扭曲。

个性化过程是一项摆脱固有观念的工作，需要人们在自省时付出双倍的努力。一方面要及时发现不适合、不属于我们的东西；一方面要发掘真我，洞察我们内心的真正需求和深藏的天性。这种天性因巧合或天意而未被家庭和文化观念的条条框框扼杀，它与生俱来，甚至可被视为集体无意识范型的产物。[1]比如一个出生在法国的人，其集体无意识与在印度或巴西出生的人就不尽相同。我们必须承认，每个人都是世系、阶级和文化的产物，但在内心深处依然保留着原始的“基质”，也就是通常所说的“人格”，它卓尔不群、隐藏至深且独一无二，但很早就能被人察觉。事实上，在一个婴儿出生后的几周时间里，我们已经能够发现其人格的独特之处：焦虑或喜悦，内敛或外向，活跃或安静，温和或易怒，等等。弗洛伊德认为，阶级在人格的养成中发挥着至关重要的作用，荣格并不否认这一点，但强调在形成阶级观念之前，更本质的影响来自人的“基本气质”，或者说“性格”，他还专门为此划分了类型。对于这一点，亚里士多德在许久之前亦有觉察，他在《尼各马可伦理学》中指出，每个人都拥有独特的天性。“人的一切及物质本身首先是拜自然所赐，然后才由各种关系加以塑造，后者不

---

1 “集体无意识”是荣格提出的心理学概念，指由遗传保留的无数同类型经验在内心最深层积淀的普遍性精神。——译者注

过是人生的次要和偶然因素。”[1]他告诉我们，为人处世只有顺从天性，才能获得幸福。“因为感受快乐能够取悦灵魂，每个人的快乐都与其癖好息息相关。比如说，一匹好马令爱马者为之欣喜，一幕好剧令戏剧迷为之心醉，同理，正义的彰显令其支持者为之欢呼。总而言之，热爱美德的人们自会为德行欢欣鼓舞。”[2]在寻求快乐的路上，不妨重温一下苏格拉底的告诫：“认识你自己。”这句话亦被镌刻在古希腊德尔斐神庙的三角楣饰上。正如亚里士多德之后的荣格所说，了解自己的目的，乃是让生活顺从天性，不断回应内心最深的渴望。

---

1 亚里士多德，《尼各马可伦理学》，第一卷第6章，2。

2 同上，第8章，10。

认识你自己……回归真我

要想了解自己，最显而易见的方式就是自省，即对自身的感受、动机、欲望、情绪进行细致观察，对过往的经历及其带来的影响给予透彻分析。经历给人以启迪，如果我们乐于倾听它的忠告：“你这样坚持一点都不开心，换条路走或许能够柳暗花明”，“这件事于你有利，那件事对你有害”。以饮食为例，我们就能很好地理解这个道理。生活中，并非所有的食物都适合我们，有的食用后导致生病，但对其他人就毫无问题。有的人对谷蛋白或牛奶过敏，有的人却能完全适应。在感情生活、职场生涯和人际交往中，这一道理也同样适用。有人乐享独处时光，有人偏爱呼朋引伴，但对大多数人而言，只有在孤独与社交之间找到平衡，才能保持愉悦的心情。这个例子生动地告诉我们：适合自己的才是最好的。那么我们又该如何分辨？斯宾诺莎自有妙计：“仔细观察，什么让你感到快乐，什么让你痛苦难过。”如果每次打开数学作业本求解方程式时都会心情郁闷，也许就该及时抽身，转投其他学科。反之，如果看到哲学书或诗集就心花怒放，那么毫无疑问，这就是自己的兴趣所在。列举此例绝非偶然，因为这正是鄙人的亲身经历。上学后，我很快明白自己不是学数学的料，永远无法成为别人由衷赞叹的“数学天才”。为此，我没有奋起直追，而是从初一结束起就完全放弃了数学，此后我积攒下一个又一个鸭蛋。回想起来，幸亏老师没有强求，否则我都不知道自己是否还能继续学业。

分辨好恶的关键在于自我观察，不仅需要客观清晰，而且切忌先入为主。正如世上没有一蹴而就的成功，能力的培养必须在实践中不断完善。首先要与自己拉开一段距离，分析事物时尤其要保持理性。如果省去了这一过程，我们不但会徒劳无功，最终还会迷失自我。事实上，我们平日里扮演的角色、呈现的人格以及表露的欲望并非出自本心。我们努力成为别人期待的样子，或是成功想象中别人期待我们成为的样子，以为这样就能取悦他人、为社会所接受。我们都希望受人欢迎，从心底渴望得到外界的认可。如果童年没有得到足够的认可，或是父母对子女的爱没有做到不偏不倚、恰如其分，又或者亲子的沟通交流出现问题，那么在孩子成年之后，就会格外渴望得到别人的赞扬。这正是我的亲身经历。在很长一段时间里，我一直在讨好他人，哪怕自己吃亏也在所不惜，在我看来，这是受人欢迎的必要前提。有时明明想要拒绝，人前却是满口答应；有时打肿脸充胖子，私底下却是苦不堪言。步入青年时代后，我开始意识到自己并不开心，于是接受了一项心理治疗，学习如何循序渐进地做回自己。借助精神分析法，我首先找到了自己的症结所在：多年来，我一直无意识地生活在父亲的期待之中。无论何时何地，我都不允许自己做出让他失望的事情。在这种心理的驱使下，我不断寻求他人的认可，不惜一切代价讨好别人。更糟糕的是，我在潜意识中深受父亲训诫的影响。他曾说："成为一个重要的人物，但不要试图超过我。"正是这一充满悖论的信条，为我的成功之路设下重重障碍。

通过精神分析，我发现并了解了自己的问题所在，但这并不足以让我获得解脱。在一位心理学家朋友的建议下，我决定从调节自己的情绪入手，尝试接受格式塔疗法的干预。我们一行20余人来到乡下，围坐在两名治疗师周围。第一节课的内容是在黑暗中放松自己，身处这样的氛围，我们的意识逐渐发生着变化，变得格外敏锐易感。治疗师随后将一张纸和一支笔交到我们手中，要求每个人在黑暗中画出身体的轮廓。在大家交出的作品中，各人的形象千奇百怪、不一而足。我画出的身体结构完整，但极不对称。一边硕大无比，一边萎缩不堪，而且胳膊和大腿极为细小，看上去十分可笑。此外，画中形象让人既感束缚又觉压抑。一位治疗师走到我面前问道："你感觉到了什么？"我回答没有感觉。但他继续重复刚才的问题，我于是细心体会，感到胸中压抑烦闷。这时另一位身体更为强壮的治疗师向我走来，问我是否介意强化这种不适的感觉。在得到肯定的答复后，他突然从背后拦腰抱住我，我只觉一股怒火冲上脑门，我大喊"放开我"，声音愈发尖利，挣扎间，第一位治疗师问道："你在对谁说话？"我不假思索地怒吼："对我爸！"毫无疑问，那一刻我真的见到了父亲，我强忍压抑已久的愤怒，鼓起勇气告诉他，他的所作所为令我窒息，是他阻止我成为真正的自己。我拼命挣扎，叫得声嘶力竭，用了近一个小时的时间才挣脱父亲的掌控。我意识到，为了从世俗眼光的桎梏中获得自由，我成功压制住体内男性特质的生长（这一部分在我的画中呈现萎缩状态），释放出性格中女性化的一面，比如富于创造力、充满诗意、性情敏感等，而此前的那个我并非真正的自我。当这一疗程告一段落，我在大街上开心得唱起歌来，我感到自己重获自由，就像飞出牢笼的小鸟。接下来的几周时间里，我时时感受着这种强烈的快乐，逐渐培养起一种获取更深层次快乐的能力。几个月过去了，我开始学会自我肯定，第一次拒绝了一个从前不敢稍有忤逆的人，这更加增添了我摆脱束缚的快乐。特别是当我意识到，拒绝非但没有造成任何困扰，反而进一步解放了自己，为我带来意想不到的收获：我学会对人说不，一步步从他人的目光中解脱出来，从此，无论批评还是赞誉，我都能泰然处之。一旦我们明白得到所有人喜爱是愚蠢且徒劳的尝试，我们就卸下了心头沉重的包袱，这一道理适用于所有职业。比如当我们无法得到一家机构的赏识，这只是他们的问题，而不是我们的问题。他们或许有这样那样的理由，无论是否公平合理，但都无关紧要！如果总是活在别人的评价与判断中，我们将永远无法获得快乐。

斯宾诺莎的解放之路

有时在心理疗法的辅助下，我们能够进行自我反省，从别人的目光中解脱出来，发现真正的自我。起初我们面对的都是最难逾越的障碍，比如父母的影响以及一切阻挠我们成长、发展的因素。到现在为止，我只强调了外部因素的重要性，但实际上，我们也应把部分精力投入到自我调节中（外部因素是主导，但内因的作用也不容忽视），以此获得心灵的自由。自我调节的对象涵盖情感、情绪、冲动、欲望、信仰等，无论是实现自由还是获取快乐，都必须学会打破心灵的枷锁，因为在多数情况下，我们首先是自己的奴隶。只有突破心防，我们才不会处处以受害者自居，陷入怨天尤人的境地。要知道，将一切问题归咎于他人是件多么简单的事情！

佛教的观点与之有着惊人的相似，它通过冥想和自省的漫长过程，将人们从内心的奴役中解脱出来，最终实现大彻大悟，达到自由的最高境界。在后面“完美的快乐”一章中，我还会就此问题略做解释。不过在这里，我要先介绍一下斯宾诺莎的哲学观点，因为他是西方研究内心自由的大师级人物。

我们都知道，斯宾诺莎是启蒙时代的先知，他准确预见到了世俗共和国的成立，在这个国度，信仰和言论自由都能得到充分尊重。从这个意义上说，他捍卫的正是当今西方社会最广为人知的自由价值观。不过我们经常会忽视一点：斯宾诺莎也是探寻内心自由的伟大思想家。他曾说过，人非生而自由，必须通过努力才能获得，其途径就是以理性态度对内心情感和观念追根溯源。为了赢得社会和政治自由，我们曾经付出高昂的代价。如今，无论是按照自己的心意选择伴侣、职业、居住地乃至性生活，还是充分享有信仰和言论自由，都已成为我们的无价之宝。我们通过艰苦卓绝的斗争换得了自由，如今必须誓死捍卫它。众所周知，在斯宾诺莎生活的时代，他因政治和宗教异见遭到残酷的迫害，失去了家庭和朋友，甚至险些遭人暗杀。为此，他不得不偷偷摸摸地著书立说，以免受到世人围攻。终其一生，斯宾诺莎都无法自由表达自己的观点，但同样是他告诉我们：世上最大的悲哀在于热情受到束缚，这种束缚才对我们伤害最深。我们必须驱除隐藏在心中的暴君，没有什么比完成这一持久的任务更加重要。这样做的目的不仅是获得快乐，也是让世界变得更加美好。让我们聆听大师的箴言，在这条路上与他并肩同行！

我们都知道，斯宾诺莎伦理学的基础是conatus学说，即一切生物为保持其自身存在和增强生命力付出的努力。如果具体到人类，那么conatus指的就是欲望，而且是广义上的欲望。斯宾诺莎认为，努力、冲动、食欲和意志都是欲望[1]，甚至可以说欲望就是“人的本质”。[2]当一个人受到束缚，一定是欲望的方向出现了问题。他之所以感到难过、不幸和无力，是因为将欲望寄托在一些没有价值的事物上，这些事物只会损耗他的能量，对其成长却没有帮助。事实上，只有获得内心的自由，才能将悲伤和消极的快乐转化为积极的快乐，但这并不意味着压抑和摒除欲望，而是要分辨什么对我们有益，什

1 斯宾诺莎，《伦理学》，第三卷，释义1。

2 同上，第四卷，论证18。

么对我们有害，最终将欲望引向能够提升自身能力的正确方向。

同斯多葛派一样，斯宾诺莎并不认为意志是促成改变的唯一力量，他也从未将理性与感性对立起来，这一点上他与柏拉图、笛卡尔和康德观点一致。在斯宾诺莎看来，感性本身不是坏事，因为它自会受到理智与意志的约束，真正有害的，是感性和欲望中的消极因素，只要借助理性的判断，就能将其变为积极因素。在这一点上，斯宾诺莎与佛教的理念有所不同，后者认为，欲即是恶，一切执念皆由欲望而来，必须设法根除。斯宾诺莎则强调，欲望是人的本质属性，情感是生命的动力所在，因此，一味地排斥感性无济于事，关键是认清其内涵，用正确的方法加以丰富和引导。用斯宾诺莎的话说，就是激情大多源于个人的想象或错误、片面、不恰当的信息，唯有将其与实际相结合，激情才能转变为一种理性、可靠的情感。或者我们可以这样理解：斯宾诺莎伦理学的目的并不是根除一切罪恶，而是通过揭示是非善恶帮助人们认清真相，发现真正值得向往的美好。

斯宾诺莎认为，虽然理性对于分辨是非不可或缺，但还不足以促使我们做出改变。“我们不可能消除或压制情感，除非我们借助另一种完全相反或更加强烈的情感，才能达到目的。”[1]如果欲望让我们感到不适（比如感到束手束脚或伤心难过），理性就应发挥其作用，激发人们更加美好和强烈的渴望。只有欲望成为一股足够强大的力量，我们才能推动人类不断进步。不过，这一切必须建立在理性的基础上，因为唯有理性能够判断事物（或人）最适宜的发展方向，否则所有努力都将徒劳无功。

斯宾诺莎强调，激情都源自外部因素的影响，这一点我们在前文“个性化过程”中已经有所涉及。我们经常在无意识的情况下受到外部因素驱使，这些因素与我们的本性相左，却能通过斯宾诺莎所说的“个人的想象”影响我们的行为。因此，我们必须摆脱外界的影响，努力成为自身情感的主人，唯有如此，我们的情感才能变得更加积极。我们不再感情用事，而是下意识地主导并

1 斯宾诺莎，《伦理学》，第四卷，命题7。

引领情感的走向，从而不断成长，收获快乐。

由此，我们从束缚走向自由，从悲伤或消极的快乐奔向积极的快乐，直至抵达极乐。

在这里，我还想简单阐释一下斯宾诺莎关于自由之人由束缚走向快乐的理论。从本质上说，人就是欲望的化身，一切欲望皆因追求快乐而来，或者说就是为了增强我们的生命力。然而，当欲望被误导、曲解，或受到外部因素的干扰时，就会滋生悲伤的情绪，对生命力造成损耗。生活中，我们经常为情绪所控，陷入消极被动无法自拔。斯宾诺莎的理论旨在通过理性判断，激发生命力、情感和欲望的积极作用。唯有如此，我们才能用真知灼见取代不够完善、流于片面和不切实际的想法，将消极情绪转化成不被他人左右的积极态度。一旦欲望得到有效管控，我们就能享受到它所带来的完全而持久的快乐。

这一智慧的初衷是化解因欲望无法得到满足而产生的伤痛，当人们得偿所愿获得快乐，它就成功完成了自己的使命。

在此我要反复强调的是，无论是对善恶所谓客观的评判立场，还是对感性一味的压抑心理，抑或是对欲望或放纵或消灭的极端态度，都是我们坚决反对的。只有不断校准“欲望管控”的方向，我们才能开启幸福与成长的大门。

耶稣——欲望的大师

如果说斯宾诺莎关于欲望的研究仅仅停留在伦理学和哲学层面，那么十几个世纪之前，耶稣已经在竭力宣扬“爱之精神”，并将其不断付诸实践。他将斯宾诺莎所说的“激情”称为“原罪”，这个词在希伯来语中的原意是“错失目标”。十几个世纪以来，随着基督教教义的发展变迁，“原罪”已经成为罪恶的代名词，以及道德沦丧的重要象征，这一点从教会列出的一长串原罪清单中可见一斑，其中的一些罪名足以将人直接打入地狱。事实上，福音书对此只字未提，耶稣也从未给任何人定罪。他曾救下一位因通奸被处以石刑的妇人，对她说：“我不定你的罪。你回去吧，今后不要再犯罪了。”[1]这句话可以理解为：“学会在欲望中成长吧，要不断校准方向，不要再错失目标了。”正如福音传道者约翰所说：“上帝派他

1 《约翰福音》(*Jean*) 8:3–11。

的儿子来到世间，不是为了审判世人，而是为了拯救众生。”[1]基督的言行始终如一，他从不审判或是定罪，而是以拯救和点化为己任。由此我们可以看出，耶稣（不仅是斯宾诺莎）从不轻言善恶，而是将真实或虚假、公平或不公、有益成长或有损生命作为评判标准。比起用道义的审判压倒对方，他更愿意通过一个姿态或一个友好的眼神帮助人们重新振作。

福音传道者路加曾经讲述过撒该[2]（Zachée）的故事。此人是一名税吏官，生性狡诈，为众人所唾弃，同时他还贪得无厌，不但盘剥同胞钱财上缴罗马，还要在经手时扣下一半中饱私囊。一言以蔽之，他就是一个腐败透顶的家伙。一天耶稣来到撒该所在的市镇，撒该激动万分，由于身材矮小，他爬上一棵桑树，希望一窥基督真容。正当人们猜测耶稣会前往祭司或法利赛人[3]等德高望重的宗教人士家中用餐时，耶稣抬头望见了撒该，并招呼他说：“快

1 《约翰福音》3∶17

2 《路加福音》（*Luc*）19∶1–10。

3 一个犹太宗派，以严格遵守成文法律见称。——译者注

点下来，今天我要去你家中借宿。”撒该大为震惊，连滚带爬地从树上跌落，匍匐在耶稣脚下说道：“我会将一半的家产捐赠穷人，对那些曾经遭我强取欺诈的人，我会奉上四倍的补偿。”由此可见，撒该并非因耶稣义正词严的说教改过自新，而是在友爱的目光中受到了感染。耶稣成功唤起了撒该对美好的向往、对成长的渴求以及改变现状的愿望。从这个意义上说，耶稣同斯宾诺莎一样，是一位“欲望的大师”，弗朗索瓦丝·多尔托（Françoise Dolto）在《读福音书，学精神分析法》（*Évangile au risque de la psychanalyse*）[1]一书中的总结可谓一针见血。同时，正如斯宾诺莎的哲学是一种探寻快乐的哲学，耶稣的训诫也旨在为世人带来快乐：“我把自己的快乐带给你们，希望你们的快乐更加圆满。”[2]

这正是今天天主教教皇方济各希望发扬光大的理念。他曾向神职人员和天主教信徒们发出呼吁，称教会的使

1 弗朗索瓦丝·多尔托，《读福音书，学精神分析法》，Points-Seuil出版社。
2 《约翰福音》15∶11。

命是用爱与快乐触碰心灵，而不是固守道德说教、排斥一切不按规矩行事的人。如果说他的第一篇布道经文以“福音书的快乐”为题，那么这绝不是一种偶然。

从内心自由到世界和平

正如斯宾诺莎所言，我们并非生来自由，自由要通过努力获取。如果我们不去试着了解自己、涵养自知之明，那么终其一生，我们只会被情绪、欲望、激情、信仰、幻想和理念驱使。我们自以为行事无拘无束，事实上却未能摆脱感性与信仰的左右。

虽然生活的年代远早于弗洛伊德，但斯宾诺莎已经发现，人们在行事时往往受到无意识的支配。正是出于这个原因，他从不相信所谓的自由意志，并对自由给出了更深层次的定义。在他看来，当人们能够依天性行事、不被外部因素左右，就是获得了自由。或者说，自由是一种自主状态，我们在解放之路上每前进一步，就能为自己带来快乐。对此，我们都有切身体会：束缚愈紧，解脱的快乐愈甚。斯宾诺莎的理论正是建立在这样一个基本观点上：人人都有自己独特而唯一的性格，需要不断加以完善。“每个人的欲望都是独一无二的，性格或本质亦是如此。"[1]无论品味还是欲望，世上都不存在两个相似的个体，因为每个人自有其专属的性格。这一理论将个体独特性的概念推向了极致，但其中也隐含着一个悖论，只有彻底摆脱束缚，对自身拥有充分的了解，精确校准欲望的航向，实现完全的自主，才能最大限度地超越自我，成为对他人有益的人，以正确的方式热爱这个世界。正如斯宾诺莎所说，只有与自己达成和解，我们才能与他人好好相处。世上所有的争端都来自情绪的冲动。一个人如果能够克服自身冲动，将其转化为积极的快乐，那么他就永远不会伤害他人，他也由此战胜了自私、妒忌、贪婪、掌控欲强、患得患失、自尊心匮乏或自尊心过强等弱点，简言之，就是斩断了一切可能造成内心冲突或引发战争的恶源。从这个意义上说，如果每个人都努力在个人操守方面成为一个"有益的人"，那么我们必将实现全人类的共同福祉。为了把问题说得更加清楚，我们不妨引用甘地一句精彩的名言："要想改变世界，必先改变自己。"诚哉斯言，真正的革命永远发生在内心深处。

1 斯宾诺莎，《伦理学》，第三卷，论证57。

与世界和谐相处

能够在他人的快乐中找到自己的快乐，

这就是幸福的奥秘。[1]

——贝纳诺斯（Bernanos）

1 贝纳诺斯，《小说集》（*Œuvres romanesques*），Gallimard出版社。

我们在上一章已经讲过，要获得深厚而持久的快乐，第一条道路是从内心寻找力量，通过释放自己来寻求快乐。第二条道路则与之截然相反，却又并行不悖，即向他人敞开心扉，借助爱、融合与复联（reliaison）的力量，激活内心快乐的源泉。“复联”一词在法语词典中本不存在，但我希望用它来概括这条道路的特点，即与世界重建一种正确、真正的联系。这样做一方面能够促使我们不断成长、获得快乐，另一方面可以取代我们在此前的人生道路上已经构建起来的关系网络，这些关系有时会损害、限制或压抑我们的发展，让我们无法按照真正的本性充分挥洒、更进一步。当然，有些关系对自身成长不可或缺，只有立足这片沃土，我们才能培植出更加正确、更适合发展现状的新型关系。

友情

在我们生活和成长的过程中，没有一个人能脱离爱与情感的羁绊独立于世。最初的联系要回溯到胎儿在子宫中孕育的阶段。在这一阶段，胎儿与母亲保持着唯一的联系，母亲的无意识状态、精神活力以及情感变化无不与胎儿息息相关。孩子出生后，这种关系得到进一步强化。比如父母的目光（多么幸运，目光中往往充满着爱抚）。很快，亲友的目光会聚焦到孩子身上，它如同一面镜子，帮助孩子进行自我建设：正是在他人的目光中，孩子对自身有了初步的认知。如果这一形象十分正面，孩子就会感到被爱，同时相信自己是可爱的，他也由此拥有了一种安全感和自信心，这将有助于他健康成长，享受人生最初的快乐。孩子的快乐十分奇妙。它是一种极致的表现，瞬间发生，欢喜雀跃，或是拍手、喊叫、大笑，或是全身随之摇摆，或是眼神熠熠生辉。它既非少年初尝收获滋味的酣畅淋漓，也与成人的兴奋快慰有所不同，而是一种真正的快乐。

孩子最大的快乐与外界的联系息息相关：他之所以抚掌大笑，是因为母亲或父亲陪他玩耍，一直注视并鼓励着他；他为自己的每一个进步欢呼，也是因为受到了他人的激励。随着孩子不断长大，他的关系网也会发生变化，开始逐渐超越家庭的范畴。先是托儿所，然后是幼儿园，他首先体验到的是友谊的温暖，这种感觉会随着时间的推移不断增强。接下来，他还会感受到初恋的心动。整个过程就如同情感的实习期，孩子将从中发现与外部世界不同的联系。这种人际交流或给他带来快乐，帮助他成就真正的自我，或使他陷入悲伤以及虚幻的快乐。从这个角度来说，准确的判断对情感关系至关重要。不过在此之前，我们需要更好地了解一下这种关系的属性，它是两个成年人相互选择的结果，我们通常将其称为爱情或友谊。

在《尼各马可伦理学》中，亚里士多德用了一个相同的词指代爱情和友谊，即Philia，他将其形容为“生命不可或缺之物”[1]，不过现在的人们越来越倾向于把爱情与友谊区分开来，不再用一个词统称人类最基本的两种情感。事实上，Philia指的是一种将朋友和伴侣紧密相连的深厚情谊，它构成了人类所有真实情感的基石。如亚里士多德所说，我们选择与某人分享一个计划或一种渴望，最终“完成一项共同的任务”。这个任务也许是组建一个家庭，也许是缔结一段互通有无、共同享乐或分享知识的友谊。Philia永远建立在互利的基础上，它绝不是单方面地爱慕某人，而是彼此鼓励，在互帮互助中实现共同成长、自我完善。从某种程度上说，我们完全可以与所爱之人共享快乐，甚至在自己心中感受着他或她的喜悦。当然，这种关系也不无风险，因为在现实生活中，朋友与爱人除了分享快乐，亦要分担痛苦。如果不向他人敞开心扉，我们永远都无法体会令人窒息的过度保护会带来怎样糟糕的情绪。不幸的是，友谊和爱情有时并不稳固，这是因为一方无条件地爱着另一方，无论如何都希望其获得幸福，但另一方却是有所保留，只有在对

---

1 亚里士多德，《尼各马可伦理学》，第八卷第1章，1155a。

方符合自己期待时才会付出感情。这种关系存在于各个层面。比如一些家长疼爱孩子，条件是后者在学业上取得成功；一些夫妻彼此相爱，前提是对方身居要职或貌美如花；一些朋友与你称兄道弟，原因是他们对你抱有期待，或你对他们的进阶之路有所助益，这种预设前提的友谊或爱情无法给人带来快乐，因为人们喜爱的不是我们本人。实际上，在这样一段关系里，我们从来都不是真正的自己。

Philia中包含着一个关键的要素，即我们必须成为真正的自己，同时帮助他人成就自我，以此来获取快乐。如果无法做到这一点，那么无论什么感情都会变得虚无缥缈或黯然失色。爱与被爱意味着对彼此命运一视同仁，希望对方成就最好的自我，也意味着在收获快乐的同时能为对方送去快乐。一段认真的感情与功利主义毫无关系，我们之所以成为朋友，绝不是因为我在职场、社交和物质等方面有求于你。当然，这并不是说真正的友谊必须与利益绝缘：朋友也可以在工作上给予我们帮助，但一旦他无法再满足我们的需要，比如说退休或换了工作，我们的友谊不会因此受到任何影响。

关于友谊，最有名的例子恐怕要数蒙田和拉博埃西了。他们相识于1558年，那时两人都是波尔多议会的议员。米歇尔·德·蒙田25岁，艾蒂安·德·拉博埃西（Étienne de La Boétie）比他年长3岁。初次见面，他们就将对方视为命中注定的知己，这段友谊给两人带来了无尽的快乐。在蒙田看来，“人们通常所说的朋友和友谊”，不过是“因某种机缘巧合或一定利益形成的频繁往来和友善关系”，他与拉博埃西的友谊则截然不同。他称赞真正的友谊是“灵魂相交，你中有我，我中有你，它是如此的浑然一体，以至于联结二者的纽带早已消隐其间、无从辨认”[1]。他有一句名言流传甚广：“因为那是他，因为这是我。”这句如定理一般的话被人们视作解题的方程式，从中我们可以找到友谊“因何而来”“如何存在”的答案。他在著作《随笔集》中承认，一生中最美妙的时光莫过于与拉博埃西共同度过的日子。后者在他们相识五年后撒手人寰，朋友的早逝带给蒙田巨大的伤痛，他甚至认为，这是比自己五个孩子早夭还要致命的打击。

1 蒙田，《随想录》，第1、28卷。

相较而言，伊壁鸠鲁和伊多梅纽斯（Idoménée）的友谊可能鲜为人知。临终前，伊壁鸠鲁躺在床上，口授了一封写给伊多梅纽斯的信。在这封感人至深的信中，他详细描述了自己的健康状况以及正在忍受的病痛，他写道："一想到我们过去的谈话，灵魂深处的快乐就足以战胜一切（这里指的是身体的病痛）。"[1]

Philia有两个先决条件，一是没有企图，二是互相帮助，缺少了任何一个前提，它就只能在牺牲与痛苦之中摇摆。当然，世上也存在这样一种爱：只讲奉献，不图回报，完全不在意对方能为自己带来什么。这是另一个层面的感情，稍后我会详加解释。总而言之，真正的朋友和伴侣是双向选择的结果，这种关系无须被动忍受，也并非强加于人，它只是一种选择，需要精心培育才能茁壮成长。

1　摘自公元3世纪传记作家、诗人迪奥热纳·拉埃尔斯（Diogène Laërce）所著的《著名哲学家的人生、学说与格言》（*Vie, doctrines et sentences des philosophes illustres*），第10章，22。

从激情之爱到放手之爱

如果说philia是一种爱与友谊的混合体，能够帮助我们不断成长、发现最好的自己，那么现实中的情感则与之大相径庭，它们大多是激情的产物，比如冲动、快感或由欲望引发的强烈情绪等。不过，这种激情之爱往往隐含着失望的风险。顾名思义，激情是一种被动的情绪，按照斯宾诺莎的说法，它只会带来消极的快乐，因为它通常建立在幻想与心理投射的基础上。我们从他人身上寻求慰藉，不过是为了满足自身的需求，平息内心的恐惧，填补灵魂的空虚，正因如此，我们才会产生将对方理想化的倾向。有时候，我们会下意识地将对方与父母中的一人等同起来，并且在毫无知觉的情况下复制我们童年与父母的情感联系。这种幻觉正是激情转瞬即逝的原因所在：幻觉迟早烟消云散，激情自然也会随之减退。人们常说，爱能持续三年。对真爱而言，此言大谬，但对那些靠激情维系的情感而言，却是一点不假，甚至能够维持半年已属不易。

有时，激情之爱也会转化为相互厌憎。如果我们参照一下斯宾诺莎关于激情的分析，就会发现这一结论完全符合逻辑。我在前文中曾经提到，斯宾诺莎将爱定义为“一种深受外部因素影响的快乐”，因为只有想起所爱之人或有其陪伴在侧，我们才会感到快乐。反过来，斯宾诺莎将恨描述为“一种深受外部因素影响的悲伤”。也就是说，如果爱并非基于积极的快乐，而是源自消极的快乐，那么它就只能停留在想象的层面，迟早有一天会化作悲伤，最终走向激情之爱的对立面：憎恨。越是被动的爱，越容易因爱生恨，反之亦是如此。有多少伴侣从爱得痴缠到相互厌弃，从一往情深到满地鸡毛。但即便走到了分手的一步，很多夫妇依然保持着剪不断理还乱的关系，这种情形其实并不奇怪。他们的不幸在于，矛盾冲突主要集中在孩子教育、食宿以及监管等难题上，因此两人根本无法一刀两断。无论分手出于何种原因，只要双方无法将爱情转化为友情，就会一直彼此伤害，在敌视、怨怼甚至憎恨中煎熬度日。

斯宾诺莎将这一类型的爱情归结为一种令人沮丧且束手束脚的激情（虽然有时会带来虚幻的快乐）。曾几何时，我也经历过一段激情燃烧的爱情，虽然最后并未因爱生恨，却被折磨得筋疲力尽，老实说，我真心希望这样的经历不复重来。即使这段感情在最初阶段带给我强烈的渴望，极大激发了生命的快乐，但其虚幻的特性以及随之而来的失望却带来许多负面的情绪（伤心、愤怒、怨恨、恐惧），甚至远远超过真正的快乐。

当人们陷入热恋，那么即便这段关系始于激情与幻觉，最终能够留存的也唯有真爱。那么，我们又该如何识别真爱呢？答案之一是它与philia有着相同的特征，即对方的出现总能激发我们内心的快乐，他或她展现出的最真实的一面，依然带给我们无尽的乐趣。答案之二是我们渴望让对方获得快乐，见证他或她的成长以及成就更好的自我。爱不意味着拥有，相反，爱是任其自由呼吸；爱不意味着独占，更不是让他人依附自己，相反，爱是期待对方独立自主。无论是嫉妒心、独占欲，还是担心失去对方的恐惧感，都是干扰乃至破坏夫妻关系的罪魁祸首。真爱不是挽留，而是放手；它不会令人感到窒息，而是帮人学会更好地呼吸；它深知爱人绝非从属关系，而是让彼此感受真正的自由。真爱需要长久的陪伴，但同样钟情孤独与分离的时光，唯有如此，我们才会更加珍惜爱人的陪伴。另外，我们最好避免过于亲密的关系，通常而言，两个内心缺乏安全感的成年人才会通过这种关系抱团取暖。爱情最本真的状态，应该是两个独立自主、不被欲望和承诺所控之人的结合。即使是爱人，也应为彼此留出足够的空间。哈利勒·纪伯伦（Khalil Gibran）在其著作《先知》（*Le Prophète*）中说得多么透彻：

在携手共进的路上，你们要创造空间，让苍穹之风在此起舞。

你们要彼此相爱，但不要让爱成为彼此的羁绊。

愿爱成为一片大海，奔流于你们的灵魂之间，从此岸到彼岸。

你们要盛满彼此的杯盏，但不要只从一只杯中取饮。

你们要分享面包，但不能只向一块面包取食。

你们一起欢歌曼舞，但务必保持各自的独立。

正如鲁特琴的琴弦根根分明，但抚弦动曲，奏响的却是同一旋律。

奉献你们的心，但不要任由对方主宰。

唯有生命之手才能容纳你们的心。
比肩而立，但不要靠得太近，
因为殿宇的支柱总是彼此分立，
橡木亦不在松柏的阴影下矗立生长。[1]

这里描述的爱情与自恋之爱截然相反。当一个人心术不正，他所谓的爱恋不过是在对方身上找到了自我的投射，并试图将爱人置于绝对依赖的位置。起初，他会用甜言蜜语恭维和诱惑对方；然后，为了实施更严的控制，他会想尽办法折辱对方，切断其与外界所有的联系，对其自信心进行打击。如果爱人试图逃脱，他就会故伎重施，使出花言巧语的手段将其骗回身边，以便更好地摧毁对方。事实上，他根本不爱任何人。这种关系在精神信仰中也同样存在，它构成了精神领袖与“上师”之间的根本区别（这里所说的“上师”乃是贬义，指的绝对不是印度的宗教教师）。精神领袖唯愿信徒不断成长、超越自我，成为独立自主之人。“上师”念念不忘的则是信

1 哈利勒 · 纪伯伦，《先知》（*Le Prophète*），关于婚姻。

徒全心依赖、欲罢不能，对其如痴如醉、奉若神明。接下来我还会用类似的方式描述真爱，帮助读者认清真爱与自恋之爱的本质不同。

当然，多数情感并不像上文所说那样极端，但爱情、友情和亲情依然会因强烈的控制欲蒙上阴影。我们习惯在爱人的前面加上所属冠词，比如“我的”妻子、“我的”男友等，看似顺理成章，实则爱既非从属也非拥有，爱人也不是我们的“所有物”，这样做的后果不但无法培养感情，反而会对其造成伤害。

于我而言，我对爱有着完全不同的看法。我认为爱是一种开放和健康的关系，我们乐见对方在自己的秘密花园中闲庭信步、结交好友构建属于自己的关系网络，而从不为此耿耿于怀、深感不安。我们还应抱有“快乐着你的快乐”的积极心态，任所爱之人纵横驰骋、来去自由。这一点适用于所有关系，正如纪伯伦所说：“你的孩子，其实并不是你的孩子，而是生命出于自身渴望而诞育的孩子。”[1]

---

1 哈利勒 · 纪伯伦，《先知》，关于孩子。

这种理念会让人们在实际生活中变得超脱：我爱某人，但我拒绝用一道枷锁将彼此绑在一起，或将自己变成对方的附属品，或让对方依附于我。人们往往将冷漠与超脱混为一谈，对此哲学家尼古拉·戈（Nicolas Go）的分析可谓鞭辟入里。他认为："冷漠皆因缺乏爱意而放任自流，超脱则是情到深处懂得放手，后者才是不求拥有的真爱。"[1]从心理学的角度来看，超脱之人必然内心强大，一方面他坚信自己"理应被人所爱"，一方面他也勇于接受各种变故，比如爱人移情别恋，甚至离他而去。如果没有足够的自信，就很容易滋生恐惧、妒忌和强烈的控制欲。爱人离我们而去，并非第三者从中作祟，仅仅是因为两人之间再无幸福可言。如果我们只是一味阻止，就会剥夺对方的快乐，不但无法助其成长，反而会形成精神的羁绊，抑制或阻断对方的个性化进程。

当我们在一段关系中不能或不再感到快乐，就要扪心自问：这段关系是否还于己有益？如果总是周而复始

1 尼古拉·戈，《快乐的艺术》（*L'Art de la joie*），Le Livre de Poche出版社，第178页。

地感到悲伤，我们同样需要反躬自省。事实上，我们之所以会有这样的感觉，根源就在于我们失去了自我。评估一段关系需要审慎的判断，比如对方是否已对自己构成伤害？如果答案是肯定的，我们就要先破后立，与其重构彼此关系，如果此举并不可行，对方也不愿配合，我们唯有遵从本心，另外寻找能够真正帮助我们成长的人共度此生。生命如花，有些土壤和光照可能毁掉我们，有些则对我们的成长大有裨益。这就是人际关系的重要性：良好的关系往往能够确保我们的快乐之光长明不熄。

奉献的快乐

在此前的章节中，我们已经提到爱情和友情建立在彼此选择和互惠互利的基础之上，然而除此之外，世上还存在另一种类型的感情，我将其称为奉献之爱。这种爱不求任何回报，它既是父母对子女无条件的疼爱，也是我们在无私帮助他人时的真实感受，哪怕我们与对方素昧平生，依然希望他能重新站起、奋发图强、不断前进，重新品尝到生活的甘美。这就是大乘佛教所说的慈悲（梵语为*karuna*），比早期佛教提倡的善意（梵语为*maitri*）又进了一步。《新约全书》的作者还专门创造了一个希腊词*agapâ*，以此来形容奉献之爱。它有两层含义，一层指代神对世人之爱，一层指代我们对他人的无私之爱。这是无限快乐的源泉，可能也是我们所知的最为高尚和纯净的源泉之一。我对耶稣的一句话印象尤深："奉献比获得更加快乐。"奇怪的是，这句话并未出现在专门记录基督生活及言论的四福音书中，而是在《使徒行传》

一书中由使徒保罗转述。据我所知，这是后者转述的唯一一句基督原话。他之所以只记得这一句，肯定是意识到了这句话的分量："奉献比获得更加快乐。"[1]多么幸运！如果无法体会奉献的快乐，互助与分享又从何谈起？如果我们只知索取或收获快乐，那么人类社会又当如何存续？我们都曾体会过奉献带来的快乐，即便只是几次短暂的交流，我们也能从奉献对象的眼中读到深深的幸福，与此同时，我们完全没有期待对方的回报，这无疑构成了每个人生命中最难忘的时刻。

快乐有一种神奇的禀赋，即当你将其赠与他人，自己的快乐也会成倍增加。作为人类灵魂的医者，维克多·雨果在其传世之作《悲惨世界》中对这一现象进行了描述。每天下午，珂赛特都会陪伴她的救命恩人度过一个钟头。雨果写道："每当她走入地下室，这里仿佛就成了天堂，冉阿让容光焕发，只觉得自己带给珂赛特的幸福又回到了身上，而且较之从前更加强烈。当我们送出快乐，也就赋予了它无穷的魅力，快乐不会像光线反射一样逐步减弱，相反，它会以更加璀璨的光芒照亮我们。"

1 《使徒行传》（*Actes*）20∶35。

热爱自然……以及动物

爱不仅存在于人类世界，融洽的关系也不只发生在人与人之间。希腊人曾提出以和谐的方式“与世界达成一致”，就是告诫我们不要逆天而行，而要沿着生命的轨迹顺势而为，好比在交响乐中不能奏出刺耳的音符一样。与世界和解，意味着与亲友、城市、自然乃至宇宙休戚与共，拒绝摧毁或掠夺我们居住的星球，对一切有感知能力的生物保持敬畏。而最根本的，还在于成为一个道德高尚的人，时时浸润在快乐之中，与周围的人和事相得益彰，这是抵达崇高境界必不可少的品质。无论是凝望一件令人叹为观止的艺术品，还是在瑰丽奇绝的大自然面前驻足，我们都在与更高层次的事物进行沟通，从而不断实现自我超越。沉思和冥想能够助我们成长，激发天性中最高贵的部分。亚里士多德就曾表示，心怀善意地思考，是通往幸福和快乐最有效的途径。

我从未如此感激我的父母：为了孩子能在自然的环

境中茁壮成长，他们特意选择在乡村定居。在此后长达数年的时间里，我父亲不得不每天乘坐两个小时火车到办公室上班。我们在乡间的住所掩映在一座巨大的花园之中，被大河的两条支流环绕。在我随后的人生当中，我一直试图追寻这样一种联系，正是这种与自然和谐相处的状态，赋予我年轻的生命无限滋养。

我第一次感受爱的强大力量，还要回溯到童年时光。这段经历并非发生在我和同班的小伙伴之间，而是在我漫步森林之际不期而至，它让我真切领会到了思考的快乐。那时我八岁或九岁，一天，在喀麦隆从事人种学研究的安托瓦妮特姨妈带给我一副弓箭，父亲于是建议我到住所附近的森林里猎几只野鸡。那是一个周日的清晨，天色尚早。我至今依然记得，柔和的光线透过树木的枝蔓洒落林间，我提弓缓行，父亲在我身后几米的距离紧紧相随。突然间，一只身形巨大、羽色艳丽的野鸡飞到我的面前。我惊得周身僵硬，只听父亲在旁大喊：“快射！快射！”我注视着它展开翅膀向着阳光腾空而起，紧接着是第二只、第三只乃至第四只，就这样在我惊诧的目光中列队起飞。我心头大震，任由弓箭落到地上，凝望着眼前发生的一切，心中充满了快乐。父亲看懂了我的心思，走过来搂住我的肩膀，自己也被造物的魅力深深打动。那一刻我就明白，这一生我永远也无法成为一个猎人。

几年后，我们全家观看了一场斗牛表演。当我看到斗牛士强迫惊恐不安的坐骑迎向狂奔的公牛，在这些困兽的脖颈上戳出一个个窟窿，只为削弱其战斗力，使其无法抬头迎敌；当我看到鲜血喷涌而出、人群中爆发出阵阵欢呼，我只觉得一阵剧烈的恶心，然后就毅然离开了斗兽场。人们告诉我，斗牛是一项有着上百年历史的传统表演，不可能遭到禁止。按照这个逻辑，人类曾在角斗场上互相残杀，虽然后来被基督教明令禁止，但这何尝不是古老的传统！还有很多国家对年轻女孩实施割礼也是同样的道理。我始终认为，利他主义的实质是对万物遭受的苦难怀有深刻的同情，我们固然无法对人类的痛苦视而不见，但同样也不能容忍甚至纵容他人对动物施虐。有时，我也会打死个把吵得自己无法入睡的蚊子，或是钓上几条鱼做成美味佳肴，然而，如果我们纯粹为了取乐或为了证明自身拥有生杀予夺的权力而肆意杀戮，这种快乐将是何等的残酷。无论斗牛还是作为一项体育运动存在的狩猎，这些爱好又是多么的令人心痛和不合时宜！更有甚者，在工业化养殖中，把动物视为没有生命的物品（养猪业将猪称为“矿藏”）以及生产食品的机器，完全不把它当成一个拥有感知能力的生命。事实上，只有尊重自然和生命，人类才能与世界和谐相处，形成正确的道德观。反之，如果与自然环境处处作对、不时破坏，迟早会付出沉痛的代价。

面对自然，我选择仰望，而非征服。这是一条助我们通往神圣的道路。柏拉图、亚里士多德和普罗提诺（Plotin）都认为，灵魂（希腊人将其称为noos）为思考而生。当我们面对超越自身认知或令人惊艳的事物时，灵魂就会受到深深的触动。这也是人们对神秘情感的一种定义（此处的神秘专指一些无法解释的现象）。在下一章中，我们会着重阐述这一话题，共同探究各国哲学家和神秘主义者所说的“纯粹的快乐”或“完美的快乐”。

完美的快乐

我们感觉并体会到自己是永恒的。[1]

——斯宾诺莎

1 斯宾诺莎，《伦理学》，第五卷，命题23。

让我们回到13世纪。在一个格外寒冷的冬夜，弗朗索瓦·达西兹（François d' Assise）在其兄弟莱昂（Léon）的陪伴下，从彼鲁兹（Pérouse）出发前往圣玛丽－昂热（Sainte-Marie-des-Anges）。弗朗索瓦是一位伟大的圣徒，他身无分文却充满快乐，总能与这个世界融洽相处：他对鸟儿轻声慢语，为身边的美景惊喜不已，无论一小块面包还是树上摘下的水果，哪怕手中有一点儿东西，都乐于与他人分享。

在路上，弗朗索瓦一边思考，一边大声说出自己的想法。他列举了一系列与完美的快乐无关的事物。在他看来，完美的快乐既不是宗教层面的圆满，也不是天降奇迹、学富五车或无所不知，更不是通晓天使的语言。被绕得晕头转向的莱昂最后忍不住问道：

“那么，完美的快乐究竟在哪儿？”

莱昂本以为他的回答会是虔诚的祷告或上帝的凝视，但弗朗索瓦却继续说道：

“想象一下，我们来到圣玛丽—昂热，浑身被雨水淋透，冻得瑟瑟发抖，不仅衣服沾满泥浆，肚子也是空空如也。我们敲响修道院的大门，门房应声而至，没好气地问：‘你们是谁？’我们回答说：‘是您的两位教友。’他吼道：‘胡说，你们这两个流氓，欺世盗名不说，还想盗取施舍给穷人的财物，快滚！’就这样，他不但拒绝开门，还把我们晾在门外顶风冒雪、饥寒交迫直至夜幕降临。如果我们面对这样的羞辱、暴戾和无理拒绝，还能保持耐心等待，心平气和且不出恶言，如果我们始终胸怀谦卑和仁爱之心，相信看门人认出了我们，只是受上帝的指派前来考验我们。记住，莱昂，我的兄弟，这就是完美的快乐。”[1]

1 摘自《圣徒弗朗索瓦生平》（*Les Fioretti de saint François*）第八章，作者不详。本书写于14世纪弗朗索瓦去世之后，收录了他一生伟大而卓越的事迹。

在这个故事里，主人公的心态是这样的：当我们的自尊受到严重挫伤，当人们毫无来由甚至错误地拒绝了我们，我们理应放下一切，不要将自己等同于一个需要承认、帮助、安慰的弗朗索瓦，如果能从这一角色中抽离出来，愤怒、悲伤或怨恨等情绪就会变得无足轻重。放下的一刻，即是完美的快乐降临之时。

心理作用与自我意识

为帮助读者更好地理解这位基督教圣徒的理念，请允许我斗胆跑个题，先来介绍一下印度的哲学。经过斯瓦米·帕济南帕德（Swami Prajnanpad）的大力整合，印度哲学和心理学在20世纪时渐成体系，随后在其法国信徒阿诺·德雅尔丹（Arnaud Desjardins）的传播下，开始在西方为大众所知。这一学说注重发挥人类精神的作用，如今被越来越多的西方心理学家运用于自己的研究中，以试图更好地理解人们的心理状态。在这一哲学体系中，我们的人格由两大主体部分构成，即自我意识和心理作用。在自我意识的支配下，我们会本能地产生被吸引或排斥的反应：我喜欢或我不喜欢，然后照此标准做出趋利避害的本能选择。这是生存之道，与生俱来且对我们的成长大有助益。任何人都不喜欢被灼伤或受伤害，大家只想做适合自己的事情。正是这种不可或缺的保护机制，才让我们的自我不断成长。但这一功能也不无局限，人生不如意事十常八九，即便一时如愿，也难保在遥远的未来不会反受其害。因此，教育孩子时必须对其自我意识进行引导，告诉他们人生不会总是顺心如意，有时不愉快的事反而对我们有益。比如吃药是为了治病，接受治疗是为了让身体更加强健（小时候，我定期服用鱼肝油，吞咽时感觉非常难受），还有虽然我们更喜欢放假或打游戏，但学校依然非去不可。如果我们将自我比作感知愉快或不快的电脑软件，那么教育的功能就是教会我们操控软件。同时，自我意识也支撑着我们的情绪变化，无论恐惧、愤怒还是悲伤、快乐，都在人格的形成中起到了决定性的作用，并深刻影响着我们的行为、思维、信仰以及好恶。而情绪又会反过来影响自我的发展，正是在后者的基础上，西方心理学从弗洛伊德时代开始提出“主体我”的概念，即个体对自身有着明确的认识和自觉的态度，我们也由此与自我达成了一致。

在印度心理学中，人格的第二大构成主体是心理作用。与自我意识类似，心理作用也发挥着至关重要的作用，能够不断赋予我们生活的勇气。它就像是一款思考软件，帮我们进行理性分析，对生活中突如其来的变故给出合理的解释。当然，为了达到目的，它有时也会编造谎言，而且这种情况不在少数。心理作用旨在帮助我们接受现实，无论后者有多不堪，都要为其荒谬和悲剧之处进行辩解，以便找到事情的缘由和动机，唯有如此，我们才能继续生活、不断成长。比如说，一个孩子本能地相信父母无条件地爱着自己，正是在这一信念的支撑下，他才得以不断成长。但是有一天，父母由于极度的疲劳和烦躁，毫无来由地将他大骂了一顿，他无法对父母无条件的爱提出质疑，因为推翻自己的信念太过危险，于是他就会通过心理作用为父母的发火寻找理由："妈妈是爱我的，是我做了错事，辜负了她对我的好意。"这一解释无疑是心理作用编造的谎言，但对孩子而言，却如同抓住了一根救命稻草，多少为这股无名火找到了合理的解释，他也可以借此心安理得地生活下去。

弗洛伊德曾经提出一种观点。他认为，心理作用编造的最大谎言，莫过于世上存在上帝或天神，这是人们在面对各种威胁与危险时做出的应激反应，弗洛伊德将其称为"失控状态"。在此情况下，唯有相信至高力量的存在，依托绝对安全的保护，才能平复内心的慌张。事实上，弗洛伊德并不否认心理建设的用处，并将其作为例证，对自我欺骗的精神病特性（主要表现为否认现实）进行了分析。这一点与印度思想家们提出的“心理作用”编造谎言有相通之处，尽管他们并不认同弗洛伊德关于天神的理论。

正如上文所述，无论是坚强生活、自我提升，还是跨越生命中固有的障碍和危险，自我意识与心理作用都是不可或缺的两大要素。一旦人格形成，我们就拥有了完整的自我：我是弗雷德里克（本作者），这个人既是他人对我外在形象的集中反馈，也是塑造人格所必需的情绪、信仰、思维等条件的总和。当自我与个人融为一体，我即“自我”。而心理作用则是指挥大脑的生存软件，时时启迪我的思维，处处对我做出的决定施加影响。

抛开心理作用，从自我意识中抽离

虽然我们已经找到克服困难、继续生活的治标之法，但我们不应被这些维持生存的必要条件缚住手脚，任其阻碍人生获得更大的发展。原因显而易见：自我意识与心理作用在我们与现实之间竖起了一面滤镜，我们只能透过这面滤镜观察事物，永远无法一窥事实全貌。滤镜的过滤，心理作用的谎言以及自我意识的私心，虽能赋予我们继续生活的勇气，却也剥夺了我们获取更多快乐的可能，因为真正的快乐来自现实，需要我们与世界和他人以真实面目坦诚相见。我在这里所说的快乐，不是自我的“小确幸”，而是斯宾诺莎所说的积极的快乐。要做到这一点，就必须学会舍弃、战胜和超越自我，并拒绝心理作用的导航，虽然这两大系统对我们的成长不可或缺。

自我意识与心理作用不会凭空消失，它们会一直存在，只是不再掌控一切，不再是我们人生的主宰。理智与直觉开始占据我们的心理和灵魂（即印度人所说的“真我”），在自我意识的建构中发挥越来越大的作用。此前我一直强调放手的意义，它将帮助我们超越自我意识和心理作用，不再试图将一切牢牢控制在手中。我们越有自知之明，越是个性鲜明，越能随遇而安，就越会发现自我意识的局限。如果说从前我会根据情绪、信仰、思维和心理等特征来概括我的人格，那么现在我已不能满足于这样的归纳，因为在我体内存在着一个更为本质的弗雷德里克，这才是真正的我，是隐藏在我灵魂深处的真实身份。长久以来，这一身份总是受到固有观念的侵扰，同时也被我一直以来展现的外在形象掩盖。为了重拾自我，我需要释放自己或借助爱的力量。在前几章中，我曾提到这两种方法，接下来我会对此做出详细的阐述。

这仿佛是个悖论：无论是个性化过程还是自我反省，都是为了寻找真我，同时也是为了释放真我，更确切地说，是释放被自我意识束缚的真我。当我们经过一番努力找回真正的自己，我们也就实现了真我的解放，完成了从自我到真我的转变。事实上，自我意识萌发于稚弱的童年，在心理作用和情绪变化的影响下不断巩固，因此在寻找真我的过程中，越是深入内心，越是探究真相，才越能从自我意识形成的错误身份中摆脱出来。

这也是佛陀在参禅中的亲身体会。他在描述这段通往光明的经历时曾言，之所以能够大彻大悟，关键就在于参透了自我的虚幻。无独有偶，斯宾诺莎在《伦理学》的结尾部分也提出了相同的观点。

寻找真我是一段理性且漫长的历程，如果我们能坚持到底，就会获得彻底的解放，不再为偏激观点引发的情绪冲动所左右，我们也由此获得了除判断和理智之外的第三种认知能力——直觉认识。它有助于我们理解有限之物与无限之物的关系（自然即无限之物），在理智主宰的内心世界与生命整体之间，在私密空间与宇宙苍穹之间，在我们与上帝之间实现真正的统一。直觉认识是极乐的源泉，斯宾诺莎曾说："我们最高的福祉与快乐，皆出于对上帝的认知与爱戴。"[1]

与笃信上帝的一神论宗教不同，斯宾诺莎提倡的是一种重视内在的神学：没有信仰和教义，只有理智与直

1 斯宾诺莎，《神学政治论》（*Traité théologico-politique*），第四卷，4。

觉。他拒绝将上帝视为具体的人物，而是认为包括自己在内的所有物质共同构成了上帝。“万物皆是上帝的一部分。没有上帝，一切都不会存在，也不可能被创造出来。”这一理论建立在非二元结构的基础上，我们称之为一元论。正如我在上一部作品[1]中指出的，斯宾诺莎的学说与源自《奥义书》的吠檀多（Vedanta）印度玄学具有极大的相似之处。他们都认为，上帝存在于世界之中，两者皆源于同一物质，万物即上帝，上帝即万物。印度的智者告诉我们，当一个人摆脱了二元性，他就能获得真正的解脱（梵文为jîvan mukta，即全乐、全知和全能的境界），从此生活在“纯粹意识的一元极乐世界”（梵文为Saccidânanda，意为永存、觉知、喜悦）。同理，斯宾诺莎也主张彻底摆脱束缚，实现“永恒的极乐”，正如他所说的：“我们感觉并体会到自己是永恒的。”[2]

与印度哲学类似，斯宾诺莎学说旨在摆脱自我意识的束缚，后者不但会引发情绪冲动，也是二元意识的重

1 《幸福，一次哲学之旅》（*Du bonheur, un voyage philosophique*），第21章。
2 斯宾诺莎，《伦理学》，第五卷，附注23。

要来源，例如我与世界、我与他人、我与上帝等。在西方，斯宾诺莎既不是第一个也不是唯一一个重视内在力量和推崇非二元论神学的哲学家。公元3世纪时，柏拉图学派哲学家普罗提诺曾经宣称，他通过聚精会神地冥想，真切感受到了“纯粹的喜悦”(即他所认为的快乐)。不过要做到这一点，就必须学会“在精神的指引下生活”，这也是个人所能达到的最高境界。换句话说，就是排除所有情绪的干扰，摆脱心理作用和自我意识对自身的束缚。他写道：“当灵魂不再为日常琐事所扰，幸福就会从天而降。至此，灵魂与幸福之间再无阻隔，它们不再遥遥相望，两者已经融为一体。”[1]

重拾自我的第二条道路是借助爱的力量，与他人及这个世界和谐相处，这与释放自己的道理完全一致。在前几章中，我曾就如何与他人和世界重建联系做过详细的阐述。事实上，无论是思考的快乐还是奉献的喜悦，都有一个共同特点，即只在特定的时间内有效。如果时间持续得太久，人们就会选择淡忘，不再对自身和日常

1 普罗提诺(Plotin)，《九章集》(*Ennéade*)，第六集，第七篇论文，34。

行为进行反思。在这种情况下，唯有真爱与冥想才能帮助我们突破自身的局限和阻力。当然，人们对超越自我的定义各有不同，但这两种力量却为我们提供了宇宙、神明等更广阔的视野。即便人们固守二元论理论，如《圣经·启示录》所持观点，犹太教、基督教和伊斯兰教的信徒们依然能在修行时感到如痴如醉的狂喜，这种痴迷足以使他们的自我意识土崩瓦解，并在记录这一经历时不自觉地摒弃二元论观点。圣保罗曾经宣称："这不再是我，而是基督附体的我。"[1]生活在公元8世纪的伊斯兰教圣徒阿勒·哈拉杰（Al Hallaj）也因声称"我即真主"而遭到处决。除此之外，我们还可以列举非宗教人士的类似经历。比如生于20世纪上半叶的法国作家罗曼·罗兰，他不相信任何宗教，却善于运用"大海式的感情"这样优美的修辞来形容自己与宇宙、与"比自身更伟大的存在"融为一体的感受。对此弗洛伊德批评说，这种感情纯粹来自精神的作用。罗曼·罗兰则反驳道："我倒希望您能对宗教修行中的本能反应多做些分析，准确地

---

1 《加拉太书》（*Galates*）2:20。

说，这正是我们面对永恒时简单而直接的感受。（有些东西也许并非永恒之物，但只是缺乏明确的界限，就像大海一样。）”[1]

柏格森在其著作《道德与宗教的两个来源》（*Les Deux Sources de la morale et de la religion*）中，对神秘主义现象进行了透彻的分析。他认为，神秘主义者最大的快乐，莫过于自己的意志与上帝（或天神）不谋而合，或是突破自身局限，在实现人生创举的过程中突飞猛进。柏格森表示，这些行为集中体现了创造者的特点：他们勇于投身生命之河，在人生的潮起潮落中不肯放过任何冲天一跃的重要时机。反观我们自己，如果仅仅局限在自我的小格局内，满足于实现个人的一点野心，我们就会错失机遇，与充满创造和快乐的生命之河永无交点。生于19世纪的德国哲学家叔本华以悲观主义闻名于世，但他依然对艺术尤其音乐带来的纯粹的快乐贡献了不少精彩论述。他认为：“音乐与其他艺术的不同之处，就在于音

1 罗曼·罗兰致西格蒙德·弗洛伊德的一封信，日期1927年12月5日，《完美的面容》（*Un beau visage à tous sens*），《信札选集（1886–1944）》[*Choix de lettres*（1886–1944）]，Albin Michel出版社，1967年，第264页。

乐不是现象的复制，或者说不是意志恰如其分的客观反映，它直接复制了意志本身，成为现实世界中形而上学的表现形式，并且体现了所有现象的内在本质。”[1]欣赏音乐与探究宇宙和神秘主义有着异曲同工之妙，它的力量如此强大，能够帮助我们摆脱自我意识和个体感受的束缚，引领我们走向广阔无垠的宇宙天地。借助音乐的力量，我们得以领略和谐、高尚等超越自我的美好事物，获得无比美妙的快乐体验。尼采对此也曾做出有力论述，他在描述酒神狄俄尼索斯对音乐的狂喜痴迷时这样写道：“我们品尝着幸福的滋味，但不是以个人的名义，而是作为有生命且唯一的物质，沉醉在这富有创造性的快乐之中。”[2]

总之，无论是从内心释放自己（超脱），还是与世界实现和谐（复联），都能帮助我们摆脱自我意识和心理作用的束缚，不再将其视为生命中唯一的指引。我们拒绝对自我意识唯命是从，在审视自身和观察世界的过程中，

---

1 叔本华（Schopenhauer），《作为意志和表象的世界》（*Le Monde comme volonté et comme représentation*），第三卷，第52节，第335页。

2 尼采，《悲剧的诞生》（*La Naissance de la tragédie*），17。

理性认知与直觉认识也取代了心理作用的干涉，至此，我们才算真正做回了自己。这一完全的回归非但不会让我们把自己封闭起来，反而还让我们与他人、世界、宇宙乃至神明建立了更加密切的联系。没有什么能够伤害我们，因为我们的喜怒哀乐已不再取决于自我意识。由此，我们获得了一种取之不尽的快乐，比我们此前所知的所有快乐都要深厚。

这就是弗朗索瓦·达西兹感受到的快乐。

通往纯粹快乐的渐进之路

通往完美快乐的道路如此崎岖，充满艰险，看上去几乎难以到达，这或许是因为人们对它的想象存在误差：有人抱怨它峰回路转、难以捉摸；有人认定它一步之遥、瞬间可达。事实上，这是一条渐进之路。完美的快乐不是我们抵达终点时获得的奖励，而是在通往爱与自由之路上始终陪伴我们的最佳恩赐。当然，我们的最终目的是大彻大悟，在超越自我意识的过程中成就真我，从而获得永恒的快乐。但不要忘记，每当我们将自我意识和心理作用抛诸脑后，哪怕只是暂时之举；每当我们跨越一个重要阶段，视野更广，见识日涨，与这个世界更加合拍，我们其实已经在这条路上感受到了纯粹的快乐。对大多数人而言，悟道是一个循序渐进的过程，我们不可能像佛陀那样一念之间悟道成佛，但我们可以逐渐摆脱自我意识的束缚，学会排除心理作用的干扰，不再试图掌控一切。唯有如此，我们才能一步步回归真我，与他人建立正确的联系。我们每迈出一步，就会多一分自由，敞开一寸胸怀，增加一点快乐的力量。

如果我们能体会纯粹、充实且令人痴迷的快乐，这就表明，虽然我们还未抵达自我解放的终点，但却正在这条路上不断迈进。我们也必须明白，这种暂时的体验与完美永恒的快乐有着本质不同，后者是哲人和圣徒在完全摆脱自我意识束缚后才能达到的境界。因此，只要自我意识和心理作用的枷锁没被彻底打破，那么即使我们向着内心自由的正确方向努力前行，快乐的时刻也难免伴随阻碍与痛苦，而这一切都要归咎于我们的自身缺陷。

在20岁到23岁之间，我自己就曾有过一段刻骨铭心的经历。我永远不会忘记生命中这段极其特别的时期，我既感受到了绝对的快乐，也经历了内心巨大的煎熬。

当时，我在弗莱堡大学学习哲学。第二次返校后，我搬进一栋新的合租公寓。这是一处相当不错的住所，白天阳光普照，目光所及尽是自然风光，一条大河从门前静静流过，而且居然紧邻大学校园。公寓里有三间学生宿舍，我租住了其中一间。学期结束时，我即将前往印度开启四个月的体验之旅，因此要把个人物品悉数带回公寓。到达住所时，迎面走来一位光彩照人的英国女孩，她是一名医科学生。我对她一见钟情，她显然对我也颇有情意。旅居印度期间，我拜见了几位精神导师，还在一家麻风病医院和一家特雷莎修女创建的养老院担任义工，这些故事我在前面的章节已经大致讲过。正是在这里，我感受到内心的召唤，它要求我在兼顾哲学学业的同时进入修道院清修，以便全身心地投入精神生活。于是一回到欧洲，我就找到一家修道院，准备实施这一计划。当我回到弗莱堡大学的公寓收拾行李时，那个英国女孩闻讯而来。她显然对这四个月发生的事情一无所知，她越是幸福开心，我就越是手足无措，甚至不忍说出我的决定。我跟她聊了两个小时才敢开口坦白。女孩顿时泪流满面，而我的意志几乎也要土崩瓦解：今日一别，意味着美好的初见再无下文，我心乱如麻，拿起行李夺门而出。随后，我来到修道院，这里同样位于弗莱堡，由于我即将加入当地修会，他们在此为我预留了一个过夜的房间。修道院里严肃刻板、寒气袭人，只有几名年老的修女留守。从阴森的走廊放眼望去，一间间单人小室门户大开。一位看上去不大可亲的修女领着我来到预留的房间。房间大约有六平方米大小，散发着一股发霉的气味。修女干巴巴地讲了几句注意事项后就转身离去了。房门在她身后关闭的一刹那，我突然想起了沿河而建的迷人公寓，也想到了我刚刚离开的魅力四射的英国女孩。在接下来的一段时间里，我幻想自己与她在那个明亮璀璨的地方共同谱写荡气回肠的爱情故事。然后我回过神来，打量着这间令人沮丧的小屋，心想也许会在如此肮脏的地方度过余生。突然间，我的心中浮现出基督的形象，想到自己曾经立誓追随他的脚步，我感到一种巨大的快乐，它来得毫无预兆，瞬间将我淹没。我喜极而泣，一直哭到半夜。我终于体会到奉献生命、不再属于自己的纯粹快乐。

我在修道院里修习了三年半。在第一年的时间里，虽然禁欲和刻板的生活令人备感艰难，但我依然感到了非凡的快乐。在此期间，我接受了授衣礼，迈出献身修道院生活的第一步。当晚，我做了一个既跌宕起伏又令人焦虑的梦：我身着棕色粗呢长袍在一座山峰滑雪，目标是以最快速度打破世界纪录。我沿着山体斜坡俯冲，对面人山人海，都在观看我的表演。我成功打破了纪录，却怎么也停不下来，并在惯性的带动下冲向对面山坡！人群顿时惊慌失措，我夺路而出，又飞上另一座山的顶峰……最后失去平衡，坠入无底深渊。

在接下来的几周时间里，我经历了一次严重的心理危机：整夜失眠，出现恐惧症状，陷入莫名的焦虑。直到后来，我才明白这一梦境和心理危机的含义所在：我的自我意识建构存在严重问题，它异常脆弱，自始至终都在寻求外界的认可。我的父亲首当其冲，一直以来，我总是希望得到他的赞许；其次则是他人和社会的肯定。从这个意义上说，我对修道院生活的向往，一方面是出于对基督真正的热爱和提升精神境界的追求，但同时也是获得承认、受人仰慕的一种方式。此外，我还存有一点与父亲攀比的心思：我的父亲在社会生活中出类拔萃，官至国务秘书，要想超越他，就必须在其他领域另辟蹊径，比如成为一名圣徒！但在内心深处，我其实一点都不自由，恐惧和焦虑不过是这一精神隐疾的外在症状罢了。

我用了超过两年的时间才逐渐懂得这个道理，而这一切还要归功于让·瓦尼埃（Jean Vanier）的一次讲座。瓦尼埃是诺亚方舟社团的创始人，在这个组织里，患有精神障碍的病人与看护人员如家人一样生活在一起。瓦尼埃告诉我们，对悟道静修和精神生活而言，一个最大的陷阱就是在自恋癖的驱使下不断寻求他人的认可，具体表现为努力提升自我、立志充当精神世界的英雄等。然而，就连当事人自己也没有意识到，这种渴望其实源于内心的极度脆弱。瓦尼埃的话在我听来犹如醍醐灌顶，并迅速成为我获取快乐的重要源泉，它帮助我更加清晰、务实地继续我的内心成长之路。几个月后，我决定放弃入教宣誓，并随即离开了修道院。当然，我这样做也有其他原因，尤其是在精神上感到一种与日俱增的不适。我再也无法忍受一些人的狂妄之言，这些言论用一句古谚即可概括："教堂之外，无须致敬。"举个简单的例子，我曾在印度遇到不少佛教僧侣和当地智者，他们卓尔不群，心怀悲悯。但总有一些西方的神学家和教士对此充满不屑，他们摆出一副如道袍般黯淡无光的脸色，轻蔑地谈论着“与基督教相比充满缺陷”的东方精神修行（其实他们对此一无所知）。然而，促使我离开的根本原因在于，我意识到自恋癖给我带来的精神创伤，它促使我通过一种英雄式的精神生活来寻求外界对我的肯定。

不要试图扼杀自我

有时，我们自以为成功摆脱了自我，但总是一次又一次地被其占据。事实上，如果我们能以正确的方式建构自我，就大可不必将其丢弃或试图超越，否则，我们就会陷入幻觉，直至发疯。我曾目睹一些宗教团体，尤其是基督教修道院和佛教寺院的修行者因无法承受压力，出现严重的“断铅”状况[1]。这是因为在通往神圣和自由的路上，他们试图抛弃自我，不想反受其害，结果导致精神失常、人格分裂。在我们这个时代，如果立志献身精神生活，尤其需要做好心理功课，也要在了解自身、明确动机上多下苦功。有时候，人们会混淆“摆脱自我”与“扼杀自我”这两个概念，从而造成严重后果。“摆脱自我”意味着不被自我控制，它既不是扼杀自我，也不

1 意为不知所措、精神崩溃。——译者注

是泯灭人格，更不是铲除个性这一构成人格的重要基石。上述混淆概念的情况有时会发生在西方新派佛教信徒身上，但同样存在于基督教苦行主义的理念之中。这一流派以“轻视自我”为根本信条，打着热爱上帝的名义要求人们憎恶自身，并通过苦修和凌辱等方式达到摧毁和消灭自我意识的目的。然而这种行为注定与人们的初衷背道而驰。比如皇家港口修道院的冉森教派修女，就因其严苛的苦修方式被人们描述为“纯洁如天使，骄傲如魔鬼”。

离开修道院后，我决心痛下苦功，解决自我、情绪以及信仰中存在的问题。总而言之，这是一项重塑个性的工作：我不仅需要了解自己，还要懂得自己的所思所想。在经历了一次精神分析法治疗和其他几个疗程后，我调整心态，重新出发，在更加坚固、更为成熟的基础上继续自己的精神之旅。接受治疗期间，我有幸遇到了自己的爱人，从这段关系中获得了极大的滋养。不久以后，我又因为职业的缘故得到社会的广泛认可，这让我欣慰不已，心态也愈发平静。经过一系列的努力，如今我已能够很好地处理与自我的关系，不再无休止地寻求外界承认，而且我要大声宣告，我再没有自命不凡，而是始终保持清醒的头脑。但我想强调的是，如果我未曾更好地重塑自我、让自我汲取充分的营养，如果我对自身缺陷讳莫如深，这一切就无从谈起。没有爱情滋养、得不到应有的承认、缺乏自知之明，这样的我也许依然活在他人赞许或谴责的目光之中。我之所以拥有如此深厚的快乐，完全得益于长时间的努力，在此期间，我经历了自由与融合，懂得了释放与复联，学会了放手以及与生命达成和解，这条路我已经走了将近30年，然而它远未终结。

看到这里，或许你会觉得有点丧气：为了寻找永恒快乐的源泉，我们竟要付出如此努力，这实在是一个令人厌烦的过程。生命是如此的痛苦、艰难和苛刻，如果能从一开始就拥有快乐，而不是费尽周折，在不断成长中才能获取完美的快乐，那该是多么的简单。在本书的最后一章，我们将了解到，完美的快乐在我们降临人世时就已存在，我们将其称为生的快乐。正如哲学家克莱芒·鲁塞（Clément Rosset）所说，“所有完美的快乐都包含生的快乐，而后者是它唯一的构成。”[1]我们之所以要通过释放、复联以及与世界和解等方式重获快乐，只是因为我们失去了这种原始的快乐。而孩子身上所展现的，正是我们孜孜以求的完美快乐。古往今来，唯有重拾孩童之乐能让圣贤为之心动。一旦拥有，任何力量都无法将其夺走，因为它已具备了积极、自觉的特性。

1　克莱芒·鲁塞（Clément Rosset），《强大的力量》（*La Force majeure*），Minuit出版社，第21页。

生的快乐

如果在某一瞬间，

我们的灵魂因生的快乐像绳索一样颤动、

嗡鸣，那么为了这一刻的到来，

付出所有的永恒亦在所不惜。[1]

——尼采

1 尼采，《遗作摘录》（*Fragments posthumes*）。

生的快乐——这是埃米尔·左拉（Émile Zola）的著作《卢贡－马卡尔家族》（Rougon-Macquart）第12卷的标题[1]。小说主人公波利娜在10岁时成为孤儿，为了生存，她离开巴黎前往博纳维尔小镇，被尚托一家收留。左拉在书中写道："从第一周起，波利娜的到来就为整个家庭带来了欢乐。她健康合宜的体魄，以及静谧舒心的微笑，抚平了尚托一家的乖戾之气。"在波利娜身上，我们感受到一种极具感染力的生的快乐，它是"每天满溢着对生活的热爱"，也是"接受并热爱生命存在的意义，无所怨怼，勇于面对，为健康地活着高唱凯歌"。然而，

1 《卢贡－马卡尔家族》是左拉最具影响力的代表作，共包括20部长篇小说。——译者注

生活对波利娜而言充满了艰辛。她先是被情人抛弃，随后又被迫照顾情人的妻子。然而，在遭遇了如此不公的待遇之后，她依然没有放弃幸福的初衷。一位老者曾询问她幸福从何而来，她这样回答：“我努力忘却自己，害怕有朝一日成为怨妇。每当我想到他人，内心就会感到充实，就拥有了忍受痛苦的耐心。”

孩子本能的快乐

这是一种即兴、自然、本能的快乐，它只属于孩子，当孩子学会思考，开始焦虑，它就会销声匿迹。在童年的某个阶段，孩子的自我意识尚未成熟，心理作用也还处于完善阶段；他们会忠于直觉，保持真我，不受外在形象影响，在与他人和世界的和谐相处中收获纯粹的快乐。随着年纪渐长，他们开始循规蹈矩，恐惧与悲伤与日俱增，快乐则渐行渐远，直至消失。在我们这个时代，自我意识的成长不断加速，一旦它发展成形，孩子难免变得患得患失，陷入攀比、竞争、冲突和控制欲的旋涡无法自拔，与此同时，他们会逐渐丧失惊叹赞美的能力，再也无法享受完美的快乐。

道家的先哲认为，智者不仅限于年长之人，有时反而是孩童最具智慧，他们无知无畏，遵从本能，不受自我意识和心理作用控制，因此总能拥有纯粹的快乐。这一论述可谓至理名言：在孩子眼中，一切如此简单，一切皆是必然。基督的观点与道家不谋而合。一次，人们为了保证他在传道时不受干扰，准备带走附近的孩子。基督见状说道："如果你们再不做出改变，拒绝向这些孩子学习，你们就无法进入天国。"[1]

在所有接见过我的智者贤达和宗教大师中，给我留下最深印象的，往往是那些保留着童真的人。他们周身洋溢着生的快乐，一件微不足道的小事也能令他们开怀大笑，并不时展现出顽皮的一面。我常常思索：为什么肩负很多苦难的人却能时刻保持快乐，甚至每隔两分钟就能听到他爽朗的笑声……这种天分足以气杀巴黎一干知识分子。从他们身上，人们看到的是一种憨态可掬的天真！我曾与本笃会年迈的修士和隐修教士进行交流，发现他们同样保持着永恒的笑容，时时沉浸在孩子般的快乐之中，这与他们老迈的年纪形成了鲜明的对比。对那些甘于放手、勇于服老、在日常生活中乐于接受他人援手的老人而言，这大概就是长寿赐予的最好礼物：他们得以回归童年，重获生的快乐。

1 《马可福音》（*Marc*）10∶15。

在本书中，我好几次提到我的父亲。如今，他已届90岁高龄。他是一个对工作极端负责的人，在很长一段时间里，他总是试图将生命中的一切牢牢握在自己手中。但是，当年华渐老，他也开始接受他人的照料和帮助。我从未见过他如此安详、如此愉快，并能与亲人保持如此高质量的关系。他不再是那个掌控一切的人，动辄面授机宜、上阵指挥，他只是一个需要帮助的人，必须与他人保持沟通、融洽相处。意识到自己脆弱的一面让他变得更加从容、快乐。曾几何时，他把生命中大把的时间用来证明自身价值，如今他只为自己而活，为内心简单的热情而活。

简单生活的乐趣

事实上，生的快乐并不仅仅属于孩子或在精神上返老还童的圣贤。小时候，我曾在上阿尔卑斯省的一个小村庄消磨了整个假期。我看到一些农民在田间辛勤耕耘，唇畔眼中尽是快乐。此后，我在欧洲以外的一些地方也曾见过这种快乐。我第一次迈出欧洲边境是在20岁的时候，目的地是遥远的印度。在几个月的时间里，我背着背包，搭乘公交或火车穿梭于印度各地。我走访了许多极度贫困的小村庄，这里的村民食不果腹、生计艰难，即使是最幸运的人，也只能五六个人挤住一间小屋，毫无舒适可言。我以为他们会因物质匮乏而备受折磨，但恰恰相反，他们始终保持着愉悦的心情。妇女们接连几个小时在田间劳作，她们的对话不时被一阵阵爽朗的笑声打断。到了晚间，我所留宿的家庭同样是喜气洋洋。我简直被这一切惊得目瞪口呆：从早到晚，从晚到早，每个人都是如此的快乐。他们没有光明的未来可以期待，没有希望的明天可供谋划，生活的改善对他们而言机会渺茫且遥遥无期，但他们不仅欣然自若，而且还能感受到真正的快乐。

我将他们与法国的一些熟人进行了比较，后者无论生活水平还是健康状况都无可挑剔，但若让他们挤出个笑脸，简直比登天还难。由此，我真正理解了生的快乐，那就是把生命当作一份礼物欣然接受，并为此欢喜雀跃。然而在我们这个时代，身处西方社会，人们往往将生活视作必须承担的重负。我们都认为自己被动地来到这个世界，所能做的唯有努力生活，让自己不致太过悲惨。但是，生的快乐只需一个简单的理由，即存在本身。它对其他身外之物毫无要求，无论是舒适的环境还是成功的事业，甚至连健康的身体也无关紧要。

对于这一点我深有体会。我曾在位于加尔各答北部孟加拉丛林深处的一家麻风病院工作了三周，这段经历令我至今难忘。麻风病院依村而建，收治了约400名病患，其中有婴儿、儿童和成人。一个外科手术团队每周到此巡诊一次，为病人截去难以保全的坏死肢体。然而给我留下最深印象的，是这里无处不在的快乐。这实在是令人震惊！我还记得一名德国医生对这里的气氛感到极为不适，他无不焦虑地问我："为什么他们那么高兴？他们的遭遇实在太可怕了，他们失去了手臂、下肢，甚至有些人连面部都难以保全。"他想破了脑袋也无法理解其中的道理，为此感到气愤不已。虽然这些人比赤贫者还要穷困潦倒，比病危者更加希望渺茫，却始终感受着生的快乐，这是因为他们还能享受爱情、吃饭交谈乃至继续生存，更是因为他们热爱生活！多米尼克·拉皮埃尔（Dominique Lapierre）曾将类似经历写入自己的小说《快乐之城》（*La Cité de la joie*）。两名在加尔各答工作的修士记录下这样一个片段："尽管看起来受到了命运的诅咒，但这座贫民窟却是一座充满快乐、活力与希望的教堂。"后来，我行走于非洲大陆，在同样贫困与简朴的环境中寻到了这种快乐；在摩洛哥停留期间，我骑驴穿越上阿特拉斯和中阿特拉斯山脉，再次感受到似曾相识的感觉。这已是20多年前的旧事，那时这些地区尚未进行旅游开发。虽然我没有机会亲临亚马孙或巴布亚的原始部落与当地人进行交流，但得益于法国电视2台弗雷德里克·洛佩（Frédéric Lopez）的精彩栏目《相约未知国度》（*Rendez-*

vous en terre inconnue），我有幸身临其境，开启了一趟发现之旅。在节目中观众可以看到，当地人的生活虽然极其简朴，却因充满快乐而变得多姿多彩，这一幕有助于我们重新发现生的快乐，节目也因此获得了巨大的成功。

释放自身的快乐之源

"人之所以不幸，是因为身在福中不知福，这是唯一的理由，就是这样，就是这样！一旦明白自己身在福中，就能马上获得幸福，甚至就在同时。"在陀思妥耶夫斯基小说《群魔》(*Les Possédés*)中，自杀身亡的基尔洛夫(Kirloff)曾经发出如此感慨。作品贯穿着对快乐之源的探寻[1]，而这也折射出现代社会的一大特点：我们总在思考如何获得幸福，却对日常生活中简单的幸福兴味索然、视而不见。西方社会为人们带来了极大的福祉：物质的享受、生活水平的提高、高效的医疗护理，以及能够按照自己的价值观选择想要的生活。这一切都意味着巨大的进步，但同时我们也强烈地意识到，自己经常失去生的快乐，后者需要发自内心地接受生活的本来面目，而不是总想活成自己期待的模样。我们时时被困在永无餍

1 陀思妥耶夫斯基(Dostoïevski)，《群魔》，第二部，第一章。

足的自我意识中，处处被试图掌控一切的心理作用干扰纠缠，这种不知满足的心理已经成为后工业时代社会发展的重要支撑：专家们的眼睛紧盯消费指数，一旦民众的存储意愿超过消费热情，他们就会绝望不已。对消费的悲观情绪能够刺激经济、维持增长，而铺天盖地的广告又能对消费起到助推作用。如果我们不再光顾商店柜台，而去别处寻找快乐，那么整个社会系统就会陷入停滞。从坠入爱河到凝视自然，再到敞开心扉、放松精神，试问你见过哪个广告向人们兜售这些无须交易、却能为我们带来快乐的事物？

综上所述，如果我们希望重获生的快乐，就要下意识地付出努力，以此实现内心的自由，重建与外界的联系。我们总是期待阅尽繁华，向往人生永垂不朽，但我们最该学会的却是更好地生活，在充分感知生命的过程中触碰永恒。现实中，人们往往为了安全放弃真正的自由，为了舒适丢掉内心的快乐。16世纪时，面对一批从新大陆被带至宫廷进行展览的巴西“野人”，蒙田观察到了一种源于本能的生的快乐，这一发现令他震惊不已。“他们每天都在舞蹈中度过……始终处于一种幸福的状态，即遵从天性的驱使，除此之外别无所求。”[1]蒙田认为，虽然我们的宗教看起来更加高级，知识水平与物质条件也更为优越，但相较之下，我们竟是如此的“慌乱失据”，无法遵循自然规律获得真正的幸福。我们永远都在外部世界的投射中寻找快乐，却未曾想到它就存在于我们身边，存在于小小快感带给我们的极大满足以及生活中再寻常不过的快乐点滴中，如果用金钱衡量，其中的绝大多数一文不值。四个世纪后的今天，这种情况非但没有好转，反而在继续恶化。亨利·柏格森就曾警告：我们生活的环境越是注重物质，物质世界越是因人工智能创造的机器变得复杂，我们就越需要“填补自己的灵魂”，“机械化进程需要神秘主义的力量加以平衡。”[2]童年时曾经拥有，成长中渐行渐远，事实上，生的快乐一直深埋于我们心底，就像一股掩藏在乱石之下的清泉。虽然我们只能偶尔看到它喷涌而出，但水流汩汩，永不停歇。每当我们在一定程度上掌控了自己的精神或是取

---

1 蒙田，《随想录》，第16卷。

2 柏格森，《道德和宗教的两个来源》（*Les Deux Sources de la morale et de la religion*），PUF出版社，第四章，第330页。

得了小小的进步，堆积的石头便会移走一块，快乐的泉水就会伺机喷出。快乐一直在我们心中，是上天赐予的礼物，只是我们压制了它的生长，甚至用自我意识和心理作用的巨石将其阻塞。所有回归真我、向他人敞开心扉的努力，都是在清除这些人为设置的障碍，目的是重拾简单、纯净、与生俱来的快乐。生活是如此复杂，充斥着各种各样的机遇与选择，正因如此，才会让我们与人生的关系不再单纯。

顺其自然的力量

克莱芒·鲁塞曾经提出“快乐的悖论”，他指出，一方面人们总是感慨生活不易、痛苦无处不在、宝贵生命的消逝无可避免，但另一方面，哪怕只是简单地活着也能让人乐不可支。换言之，人们至今都无法解释生的快乐从何而来。伍迪·艾伦（Woody Allen）对此也发表过自己的见解：“生命只是麻烦的延续，然而最糟糕的，还在于它有朝一日戛然而止！”我们现有的思想仅限于发现这种无条件的快乐，但谁也无法对其谜一般的特质给出合理的解释。我们唯一能做的，就是了解这一悖论，然后决定接受还是拒绝。面对厄运、痛苦以及所有的人世艰辛，快乐或是哀怨，幸福或是不幸，选择权就在我们自己手中。我在谈到尼采和放手时曾经强调，只要心怀对生活的热爱，真正接受命运的安排以及无法改变的事实，我们就能获得快乐。完美的快乐存在于我们对生命“神圣的赞同”中，存在于顺其自然的力量中。获得幸福的前提绝不是逃避苦难，而是在明知不可抗拒的情况下勇于接受，并将苦难视为我们成长的必由之路。我们经历过多大不幸，就会对幸福有多深的体会，可以说，绝大多数快乐都来自我们曾经战胜的悲伤。

对此，纪伯伦在《先知》中做出了绝妙的阐释。“一位女子说，请给我们讲讲欢乐和忧愁。”他答道：“脱去面具，你的欢乐就是你的忧愁。同一口井中，喷涌着你的欢乐，亦注满你的泪水。不然又能怎样？忧伤在你身上刻下的伤痕愈深，你就能容纳愈多的欢乐。”尼采也再次提到了这一话题：“倘若你们把痛苦和不快当作邪恶、可憎、该死和生存的污点……唉，你们这些贪图舒适和心地善良的人啊，对人类的幸福竟是如此的无知！须知幸与不幸原是一对孪生兄弟，它们共生共长，可是在你们身上，它们却永远也无法长大。”[1]虽然尼采后来出于其他原因否认了这一观点，但新教神学家丽塔·巴塞（Lytta Basset）在其杰作《牢不可破的快乐》（*La Joie imprenable*）中指出，他的论断体现了《圣经》和福音书智慧的核心要

1　尼采，《快乐的知识》（*Le Gai Savoir*）。

义。赞美诗第126首唱道:“流泪播种的,必欢笑收割。”基督有一句著名的箴言与之十分相似:“此刻哭泣的你是幸福的,因为你终将获得快乐。”[1]只有那些在痛苦、疑虑和黑暗中坚守的人,以及不惧前路艰险、披荆斩棘奋然前行的勇者,才能品尝到快乐最甘美的滋味。这并非是因为上天眷顾、天赐良机,而是得益于神秘莫测的生命法则,我们通过与生活达成一致、接受现实中的一切,开启了通往生的快乐的大门。孩子和简单之人最易快乐,是因为他们甘于接受生活的本来面目。他们把生命视为一种恩赐,满足当下获得的一切,从不苛求人生变成另外的模样。借助顺其自然的力量,我们就能找回生的快乐,重新开启关闭的心门,我们需要这股力量实现美好的生活。

我经常问自己这样一个问题:为什么人们会喜极而泣?我想是因为快乐来之不易,只有战胜各种考验才能将其收入囊中。无论是久病痊愈,还是历尽艰辛、竭尽全力获得成功,抑或是与亲人久别重逢,都是这个道理。

---

1 《路加福音》6:21。

当我们享受快乐的时候，眼泪则在倾诉，为了获取成功、脱离险境以及赢得坚不可摧的友谊，需要付出怎样艰辛的努力。可以说，收获快乐的过程，也是一段不断超越悲伤的漫长旅途。

快乐让生命和世界变得有意义

在尼采遗作的只言片语中，我们能找到这样一段关于顺其自然的有力论述："问题的关键绝不在于我们是否对自己满意，而在于是否对所有的事情总体满意。假设我们能在某一时刻点头称是，这将不仅是对自身的鼓励，也是对生活全部的一种肯定。因为没有什么能够独立存在，无论是我们自己还是其他事物。如果在某一瞬间我们的灵魂因生的快乐而像绳索一样颤动、嗡鸣，那么为了这一刻的到来，付出所有的永恒亦在所不惜，同时，永恒也在我们与生命的共鸣中得到了承认、拯救、佐证和肯定。"在此，我想引用一下哲学家马丁·斯蒂芬斯(Martin Steffens)对这段精彩论述的解读，他以自己的方式阐明并进一步升华了尼采的观点。他说："这就是顺其自然的奇特力量：它能在显而易见的失序状态中建立或展现一种秩序，它能让听天由命的生活一窥命运温柔的笑脸……从这个意义上说，顺其自然能在苦难的基础上创造自由，激发人类直面现实的勇气，哪怕现实世界乌烟瘴气、混乱不堪，而不是任由这种状况消磨自己的意志，因此，所有生的快乐，所有对生命的赞同，哪怕转瞬即逝，都拥有宇宙般宏大的意义。”[1]

1 马丁 · 斯蒂芬斯（Martin Steffens），《小议快乐》（*Petit Traité de la joie*），《顺其自然》（*Consentir à la vie*），Poche Marabout出版社，第40–43页。

尾声 快乐的智慧

在风暴的祝福中，

我在海上一次次醒来。

我凌波起舞，

比瓶塞更加轻盈。[1]

——兰波（Rimbaud）

1 兰波，《醉舟》（*Le Bateau ivre*）。

我们是否应该放弃追寻智慧?

对公众而言，幸福也许是个时髦的词，但在当代绝大多数哲学家看来，它却早已成为明日黄花。此事说来话长，甚至可以追溯到康德时期。康德认为，幸福绝非理智的模型，而是想象的产物。虽然这一论断尚存争议，但却俨然成为现代哲学的至理名言。在哲学研究的舞台上，对幸福的探寻似乎到了应该“退场”的时候，唯悲剧研究才有资格继续留下。如今，反幸福联盟又成功开辟新的战线，将矛头直指当下盛行的虚假幸福，比如标榜物质享受和社会成功的广告标语，以及宣扬个人成长的心灵鸡汤等。这一批评论据充足，我对此深表赞同，由此，探寻幸福的努力似乎变得愈发步履维艰。但是，虽然幸福的概念在这个时代遭到歪曲，但它并未土崩瓦解。建立在消费主义和自我陶醉基础之上的现代幸福观，不过是以愚蠢和洗脑的方式将所谓的幸福强加于人，却无法阻止人们继续探寻绵延两千五百年之久、关于智慧的根本问题：我们能否获得深厚而持久的快乐或幸福？

绝大多数的哲学家给出了否定的答案，理由是幸福缺乏理性基础。还有一些人虽然认为理论上可行，但觉得在当今西方社会并无实现的可能。他们反复强调，由于人类不再遵循天理循环，变得愈发自我，过于在意物质享受，古人曾经构想的幸福才会对其大门紧闭。更有甚者，对哲学能否使人获得幸福提出质疑。在他们看来，伊壁鸠鲁和斯多葛学派从未概述自己倡导的智慧的理想境界，斯宾诺莎也不过是个讨人喜欢的梦想家而已，至于佛教和道教，他们矢志追寻的宁静从容对大众而言更是遥不可及。

有人曾义正词严地提醒我们，哲学是对真实和理性的探索。此言固然有理，但追求智慧又与这一功用有何矛盾？它不过是通过观察真我和践行个人道德等方式接近真实、培养理性。面对重重质疑，我始终坚信，智慧是哲学研究的根本目的，在付诸实践的过程中，只要善于运用精神疗法等各种现代工具，懂得借助外力、从东方智慧的技巧手段中获得启示，就能不断丰富和充实智慧的内涵。在我看来，斯宾诺莎可谓哲学家的典范，他以理性的方式思考和体验人生，期待实现一种全面持久的幸福，即他所说的“极乐”境界。如果再有人认为哲学对幸福百无一用，智慧绝无可能付诸实践，而且对现代人而言遥不可及，那么斯宾诺莎的生活和思想本身就是最好的回击。

若论现代，斯宾诺莎与大部分现代人相比有过之而无不及！现代，是因为他为人大胆、勇于创新，正如我们所了解的，当多数人对虚幻的快乐和幸福趋之若鹜，又有谁能像他这样一针见血、毫不留情地揭开真相？现代，是因为早在弗洛伊德之前，他就明白人类的一切行动皆受欲望驱使，如果无法正确疏导无意识情感，真正的自由不过是一句空话。现代，是因为他表明每个人都是极其独特的存在，真正走出了一条探寻自主的道路。在他看来，自主的主体并不仅是能想会动的人类，也应是善于思考、行为端方的君子。他所提倡的，既是一种完全的自由，也是关于政治的和内心的自由。

斯宾诺莎甚至堪称后现代派，因为他的学说充满理性，同时他也坚信，徒有理智并不足以获得快乐，只有依靠直觉、借助欲望的力量才能达成目标。

虽然智慧门槛极高、要求苛刻，但也许正因为它以理性为基础、从经验中得来，才能比学术研究更加持久，并足以承受旁观者的冷嘲热讽。

一旦你们了解了我的故事，就会明白这个道理。我对快乐的思考经历了一个循序渐进的过程，其中不乏困难与挫折，但最终还是重新找回了生的快乐。有些人之所以对永恒的幸福和快乐不屑一顾，难道不是因为他们从未拥有吗？蒙田曾经强调，最难满足于简单快乐的人往往是思想家、学者和教授，他们天天与概念打交道，却很少专注自己的身体，体验具体的生活。他说："我这一生曾经见过上百个工匠、农夫，他们比大学校长更有智慧，更加幸福，我真希望像他们那样生活。"[1]

对我而言，问题的关键不在于智慧是否存在，而在于它有无可能成为现实，以及通过何种方式才能获取。事实上，智慧大致可分为两类，分别代表着寻求深厚而持久幸福的两种方式。一种是伊壁鸠鲁、斯多葛学派或

---

1 蒙田，《随想录》，第二卷，12。

佛教所提倡的超然物外、戒除烦恼、心平气和。这一方式并不禁止寻欢作乐，却要求人们在生活中清心寡欲。比如佛教修行以出家为最高境界，伊壁鸠鲁和斯多葛学派极尽简朴、节制之能事，无不与之息息相关。此外，人们还特别重视意志的力量，认为只有坚持不懈，才能实现幸福的生活。

第二种智慧旨在追求完美的快乐，而非通过摒弃杂念、清静无为等方式获得幸福。它并不主张控制情绪、压抑天性，而是更加注重将情绪和天性转化为与日俱增的快乐。它不会劝人弃世，但会教人放手，让人们体会生命真正的快乐，不致在世俗享乐和物欲横流中迷失自我。它没有将希望寄托在个人的意志力上，而是借助欲望和喜悦的力量汲取智慧，从而获得永恒的快乐。一旦拥有，这种快乐必将坚不可摧，而它的另一个名字就叫作幸福。第二种智慧虽然在表达方式上千差万别，但还是集中体现了道教、耶稣、蒙田和斯宾诺莎的观点。

我从小就对探寻智慧充满向往，20岁时进入修道院，亲身体验了第一种智慧倡导的禁欲生活。但我很快意识到，这条修行之路对我来说太过枯燥，同时充满艰险，根本无法长期坚持。此外，我之所以选择这种方式，一个重要原因就是我向往英雄般的探索壮举，希望借此满足自己的精神需求。在认识到这一点后，我转而走上第二条道路，开始追寻快乐的智慧。毫无疑问，这是一条更加人性的道路，既能助我扬长避短，也与现代生活更加契合。它建立在对真我的认知和了解的基础之上，需要人们消解欲望、适时放手、能屈能伸、懂得取舍，并对社会担当责任。

与主张戒除烦恼的智慧相比，快乐的智慧在面对丑恶、脆弱和痛苦时态度存在很大不同。禁欲的哲学旨在通过消灭或压制欲望的方式避免痛苦，但这样做往往会导致人们消极遁世，变得愈发了无生趣、断情绝爱。快乐的哲学则正好相反，它鼓励人们充分体会情感和欲望的丰富与强烈，并认为痛苦磨难实乃命中注定、无可避免。打个比方来说，即使我的欲望并非虚幻，所爱之人与我情投意合，但他或她依然可能弃我而去或撒手人寰。不过，我绝不会为了避免分离之苦而忍痛割爱，相反，我会全心全意地投入这段感情，既不将对方视为自己的私有之物，也不会以激情痴缠对方，并做好有朝一日劳燕分飞的心理准备。如果这一天真的到来，我会痛苦、会哭泣、会伤心，但对爱人的情意和对生活的热爱却不会减少分毫，生的快乐始终陪伴着我，有了它的支撑，我就能承受任何严峻的考验。此外，当一段真挚的感情达到圆满，它就拥有了永恒的魔力。任何人任何事都无法将其抹去，因爱而生的快乐也将永驻人间。虽然所爱之人的离去会给我们带来伤痛，但他们始终活在我们心中。这并非幻想，比如一味强求他们起死回生，而是借助真爱产生的积极快乐，用一种真实的方式让他们获得永生。

虽然鲜为人知，但哲学家尼古拉·戈的《快乐的艺术》（*L'Art de la joie*）却不失为一部精品力作。在书中，他明确提出快乐的智慧，并特别强调了其创造和艺术的一面。此外，他还就罪恶与死亡进行了深刻论述，许多观点都与我不谋而合。他对爱人的逝去曾经做出如下描述："人终有一死，当所爱之人撒手人寰，爱情的理由也随之湮灭。然而，一旦爱情脱胎换骨，达到尼采所说的超俗境界，它就将在快乐中获得永生。这并非是对爱人之死感到欣喜，任何人都会认为这一观点荒谬至极，而是因为爱情的力量能够超越生死，当爱脱离了外部因素的影响，其本质也会随之显现（比如快乐）。失去爱人，等于丧失了情感的寄托（这里指的是激情），如果再缺少睿智的引导，就会备感痛苦。不过同样是遭逢变故，我们也可以借助爱的力量渡过难关。一个伟大的恋人会发出如此感慨：你虽离世，我心依旧，因为你就是爱情本身。悔恨与哀叹，不过是爱情不够成熟的表现，表明人们还不懂得如何运用智慧洞悉爱的本质。当爱情完成向成熟的蜕变，从遗憾中获得了解脱，它就将体验到真正的快乐，在有限的生命中成就完美。”[1]

正如尼古拉·戈所强调的，每当人们谈论这种带有鲜明的斯宾诺莎风格的智慧，就不能不提起耶稣，尤其是他与撒玛利亚女人关于何为真爱的精彩对话。这名妇人曾有五任丈夫，后又与一男子姘居，她热情如火，动辄坠入爱河，却始终走不出消极之爱的怪圈，总是感到心有不足。耶稣告诉她，真爱犹如积极的快乐，能够让人感到充实，体会永恒。他还将爱情与妇人所汲井水进行了比较，他说：“凡喝井中之水，必会再渴。若饮我所

---

1 尼古拉·戈，《快乐的艺术》，第120页。

赐之水，则不复口渴，盖吾所赐之水于体内化作源泉，喷涌不绝直至永生。”[1]

当人们处于悲痛之中，尤其还在为亲爱之人的分离或逝去而伤心不已时，上述这番话可能听来格外刺耳。事实上，若非亲身经历，我也不敢妄加评判、轻下结论。

一路走来，我曾经历过几段刻骨铭心的爱情，深切体会到分手时恩断情绝的痛苦滋味。不过，虽然感情难免遗憾与伤痛，但抛开其中消极与情绪化的因素不说，我和几任女友都保持了良好的关系，再见时亦是相谈甚欢。一旦我们爱上某人，这份真心即是永恒，无论时移世易，绝不会消失不见或因爱生恨。我也曾多次出席葬礼，最近的一次让我感触尤深。死者是我的一位亲密女友，我们曾共同生活六年，但她却因为一次意外死于非命。初闻噩耗，我如遭重击。在接下来的一段时间里，我终日以泪洗面，深陷悲痛难以自拔。又过了一些日子，一种淡淡的喜悦开始在我内心深处蔓延，它的光芒越来越强，直至将悲伤完全掩盖。我感到，我们爱情中最纯粹和真挚的部分依然存

1 《约翰福音》4∶13–14。

在，并已成为永恒。当然，每次念及她的肉体将从世上消失，再也无法一睹其音容笑貌，我都会黯然神伤。在整整几个月的时间里，我经常毫无来由地湿了眼眶，但最终还是快乐的力量占据了上风，那位亲爱的朋友永远活在了我的心中。曾经因不理智情绪而产生的不快统统消失不见，留下的唯有真爱以及随之而来的积极的快乐。

与亲友逝去的煎熬相比，世情险恶带给我们的伤痛也不遑多让。一些提倡禁欲的哲学往往通过消极遁世来保持内心的宁静。快乐的哲学则与之截然相反，它鼓励我们勇敢地立于世界中心，承认矛盾的存在，并像酵母发面一般推动社会做出改变。从这个意义上说，快乐的智慧需要每个人的参与。

因为我如此热爱生命，毫无保留地爱着它的全部，将其视为无价之宝；因为我历尽千辛万苦，将痛苦化作快乐，没有人再比我了解生命的价值，所以我要竭尽所能让生命充分绽放。不仅为了人类的兄弟姐妹，也为了一切有生命的物种。

生的快乐能够让人感同身受，它的存在需要同情、分享与互助。在可悲的欲望驱使下，我们曾陷入恐惧与自我封闭无法自拔，但积极的快乐却能让我们的心灵为之燃烧，让我们乐于看到他人的精彩。因为积极的快乐，我们变得更加开放、大胆、勇敢、宽容，更加懂得关心他人。

曾经有人提出，当我们面对难以忍受的伤痛，比如对于曾被关押在纳粹集中营中的人们而言，幸福和快乐根本无从谈起。我的看法与之截然相反，不仅是因为幸福和快乐依然有存在的可能，也因为它们构成了一种责任，能够确保那些因人类可悲的欲望引发的灾难不再重演。更令人称道的是，即便在恐怖的中心，快乐依然能够生生不息，几位集中营幸存者震撼人心的讲述就是最好的例证。在我的一本关于幸福的书籍摘要中，我曾引用过埃蒂·伊勒桑（Etty Hillesum）书信中的一段话，后者当时身处荷兰的韦斯特博克（Westerbork）纳粹中转营，为战胜自身的焦虑和脆弱，声称要“对内心进行一次大扫除”，此后，她果然感受到了快乐的降临。她在信中说：“最大的障碍，在于演绎而非现实……我们应该打破自己对痛苦的演绎。”[1]即

1 埃蒂·伊勒桑，《文书、日记和信札（1941–1943）》之《1942年9月30日》（*Les Écrits*，*Journaux et Lettres 1941–1943*，“*30*，*septembre 1942*”），Seuil出版社。

便预感到离开韦斯特博克后可能发生的事情，她还在惊叹：“尽管如此，生命是多么的美好。”[1]后来，她被移送至奥斯维辛集中营，并于1943年11月30日遇害。

我的朋友吕克·费里（Lue Ferry）从不相信世上存在深厚永恒的幸福或快乐，在他看来，埃蒂·伊勒桑无异于一位精神病患者。然而我的看法正好相反，我认为伊勒桑和很多人一样，拥有一种高级的智慧。虽然这种智慧极难练就且条件苛刻，但无论在奥斯维辛时期，还是在奥斯维辛之后，它都并非触不可及。

关于如何反抗暴行这个问题，快乐的智慧无法从理论上给予解答，却并不缺乏实践的经验，那就是将一腔对生命的热爱洒向人间，立志为芸芸众生贡献力量。这一承诺无须人们做出牺牲，因为它既不强求放弃生活之乐，也没有对欲望加以约束，我们只需拿起手中小小的石块，无论它是多么的微不足道，为建设一个更加美好的世界添砖加瓦。我们要拒绝以暴制暴，尽一切力量帮助我们身边面临精神或物质困境的人；我们要为流离失

1 埃蒂·伊勒桑，《文书、日记和信札（1941–1943）》之《1942年9月24日》。

所的难民提供便利，协助他们尽快找到容身之所；我们要降低对地球的污染，减少消费那些密集养殖出产的肉类；我们要积极参加促进人类和睦相处的公益活动，避免被平时鸡毛蒜皮的烦恼影响心情，要用灿烂的笑容感染每一个人……

这正是皮埃尔·拉比（Pierre Rabhi）创建“蜂鸟运动”的意义所在。如蜂鸟以喙衔涓滴之水，试图浇灭肆虐森林的大火，我们也可以为人类的宏伟事业奉上自己的“绵薄之力”，共同治愈欲望和冲动带给这个世界的累累伤痕，比如强烈的控制欲、贪得无厌、利欲熏心、嫉贤妒能、飞扬跋扈以及惶惶不安等等。这是帮助人们转向哲学的最佳方式，不仅可以改变我们自身，还能将冲动变为行动，把消极的快乐变成积极的快乐，并借助快乐的力量拯救世界。

这就是快乐的智慧，它深受斯宾诺莎思想及福音书的启迪，寄托着我一直以来的信仰。我不惜暴露自己的缺陷与脆弱，不断探索前进的方向，试图让生活每天都能有所进益，同时怀着幸福的心情将其传播给大众，与各位读者共同分享。

图书在版编目（CIP）数据

与哲学家谈快乐 /［法］弗雷德里克 · 勒努瓦 著；李学梅 译. — 北京：生活书店出版有限公司，2017.5

ISBN 978-7-80768-186-1

I. ①与… II. ①弗… ②李… III. ①人生哲学－通俗读物 IV. ①B821-49

中国版本图书馆 CIP 数据核字（2017）第 069612 号

策 划 人　李　娟
责任编辑　李　娟　叶敏娟
装帧设计　视觉共振设计工作室
责任印制　常宁强
出版发行　生活書店出版有限公司
（北京市东城区美术馆东街22号）
图　　字　01-2016-3533
邮　　编　100010
经　　销　新华书店
印　　刷　鸿博昊天科技有限公司
版　　次　2017年5月北京第1版
2017年5月北京第1次印刷
开　　本　787毫米×1092毫米　1/32　印张6
字　　数　96千字
印　　数　00,001-15,000册
定　　价　39.00元
（印装查询：010-64052612；邮购查询：010-84010542）